rôtis

Textes : Rodney Dunn
Photos : Alan Benson
Stylisme : Jane Hann
Préparation des plats : Christine Chandler
Révision et correction : Odette Lord
Infographie : Louise Durocher

Pour en savoir davantage sur nos publications,
visitez notre site : **www.edhomme.com**
Autres sites à visiter : www.edjour.com
www.edtypo.com • www.edvlb.com
www.edhexagone.com • www.edutilis.com

08-06

© 2004, Landsdowne Publishing Pty Ltd (textes et photos)

Traduction française :
© 2006, Les Éditions de l'Homme,
une division du Groupe Sogides inc.,
filiale du Groupe Livre Quebecor Média inc.
(Montréal, Québec)

L'ouvrage original a été publié
par New Holland Publishers (Australia) Pty Ltd
sous le titre *Rosting*

Tous droits réservés

Dépôt légal : 2006
Bibliothèque nationale du Québec

ISBN 10 : 2-7619-1917-3
ISBN 13 : 978-2-7619-1917-3

DISTRIBUTEURS EXCLUSIFS :

• Pour le Canada et les États-Unis :
MESSAGERIES ADP*
955, rue Amherst
Montréal, Québec H2L 3K4
Tél. : (514) 523-1182
Télécopieur : (450) 674-6237
* une division du Groupe Sogides inc.,
filiale du Groupe Livre Quebecor Média inc.

• Pour la France et les autres pays :
INTERFORUM
Immeuble Paryseine, 3, Allée de la Seine
94854 Ivry Cedex
Tél. : 01 49 59 11 89/91
Télécopieur : 01 49 59 11 33
Commandes :   Tél. : 02 38 32 71 00
              Télécopieur : 02 38 32 71 28

• Pour la Suisse :
INTERFORUM SUISSE
Case postale 69 - 1701 Fribourg - Suisse
Tél. : (41-26) 460-80-60
Télécopieur : (41-26) 460-80-68
Internet : www.havas.ch
Email : office@havas.ch
DISTRIBUTION : OLF SA
Z.I. 3, Corminbœuf
Case postale 1061
CH-1701 FRIBOURG
Commandes :   Tél. : (41-26) 467-53-33
              Télécopieur : (41-26) 467-54-66
              Email : commande@ofl.ch

• Pour la Belgique et le Luxembourg :
INTERFORUM BENELUX
Boulevard de l'Europe 117
B-1301 Wavre
Tél. : (010) 42-03-20
Télécopieur : (010) 41-20-24
http://www.vups.be
Email : info@vups.be

Gouvernement du Québec – Programme de crédit d'impôt pour
l'édition de livres – Gestion SODEC – www.sodec. gouv. qc. ca

L'Éditeur bénéficie du soutien de la Société de développement des
entreprises culturelles du Québec pour son programme d'édition.

Nous reconnaissons l'aide financière du gouvernement du Canada
par l'entremise du Programme d'aide au développement de
l'industrie de l'édition (PADIÉ) pour nos activités d'édition.

tout un plat !

rôtis

Rodney Dunn

Traduit de l'anglais par Odette Lord

LES ÉDITIONS DE
L'HOMME

Introduction

QU'EST-CE QUE LE RÔTISSAGE?

Le mot « rôtissage » fut d'abord utilisé pour décrire ce qu'on appelle maintenant cuire à la broche. La viande tournait lentement au-dessus d'un feu à ciel ouvert et des récipients semblables à des lèchefrites placées en dessous recueillaient le gras fondu. Pendant la cuisson, on arrosait la viande pour éviter que l'extérieur ne sèche avant que l'intérieur soit cuit.

De nos jours, on fait rôtir la viande dans un plat peu profond, sans couvercle, dans la chaleur sèche du four. Contrairement au feu à ciel ouvert, les fours modernes procurent une chaleur plus douce, mais permettent aussi de conserver une température constante et de mieux régler le temps de cuisson. Le rôtissage est une méthode de cuisson qui prend parfois beaucoup de temps, mais la préparation en est souvent facile. Quand l'aliment est au four, cela demande au cuisinier très peu d'attention.

COMMENT CHOISIR LA MEILLEURE COUPE

Quand vous voulez faire rôtir de la viande, vous devez d'abord choisir la coupe, car ce ne sont pas toutes les coupes qui se prêtent à ce genre de cuisson. Il est donc sage de vous fier à votre boucher pour vous aider à prendre une décision éclairée. Généralement, les coupes de grande dimension cuisent plus uniformément dans la chaleur douce et stable du four qu'elles ne le font sur la cuisinière.

Chaque coupe provient d'une partie différente de l'animal, les coupes ont donc été travaillées de façons légèrement différentes. Celles qui ont été travaillées davantage, comme l'épaule, le paleron, le jarret et l'intérieur de ronde, seront plus dures et devraient être rôties lentement. En d'autres mots, il est préférable de les cuire à basse température plus longtemps pour briser les fibres musculaires. Des morceaux de premier choix, comme le filet ou la surlonge, seront meilleurs s'ils cuisent à température élevée pendant peu de temps. L'extérieur sera bien doré, tandis que l'intérieur restera juteux. S'ils cuisent longtemps, ils sèchent et ils durcissent, car ils ne contiennent pas beaucoup de gras.

Une combinaison de divers degrés de température peut être utilisée pour les coupes tendres comme pour les coupes plus dures. Vous pouvez d'abord mettre la viande à température élevée pour obtenir un extérieur bien doré, puis diminuer à température moyenne. Il est aussi possible de faire l'inverse: faites cuire d'abord à basse température pour éviter que la viande se contracte trop et pour la garder juteuse, puis, peu de temps après, augmentez à température élevée pour la faire dorer.

Enfin, avant de choisir une coupe de viande, vous devez savoir si vous désirez une coupe désossée ou avec les os, tenir compte du nombre de personnes que vous servirez et composer avec les contraintes de temps.

UTILISEZ DES MARINADES ET DES FARCES

Les aliments que vous cuisinez doivent être aussi savoureux que possible. Quand vous faites rôtir les aliments, les marinades et les farces sont les deux meilleures façons d'ajouter encore plus de saveur.

Les marinades sont des mélanges de liquides dans lesquels les aliments trempent. Elles contiennent habituellement un élément acide comme le vin ou le jus de citron, accompagné d'autres substances aromatiques. L'élément acide, en plus de contribuer à la saveur, aide à briser les tissus conjonctifs, attendrissant ainsi la viande ou la volaille. Il est important de se souvenir que la marinade doit avoir le temps de pénétrer l'aliment, ce qui veut dire que les plus grosses pièces doivent mariner plus longtemps. Les mélanges d'assaisonnement constituent une variante de la marinade. Ce sont des mélanges secs d'épices et d'autres assaisonnements. On badigeonne légèrement d'huile l'extérieur de l'aliment, puis on le frotte du mélange sec. L'huile permet aux assaisonnements d'adhérer à l'aliment et les assaisonnements lui donnent de la saveur pendant la cuisson.

Contrairement à la marinade qui touche l'extérieur de l'aliment, on met la farce à l'intérieur. Il peut parfois s'agir seulement de demi-citrons et de brins de romarin glissés dans la cavité d'un poulet pour en rehausser la saveur et aider l'oiseau à rester dodu. La farce peut être faite avec du pain, des céréales ou de la viande et mélangée avec d'autres ingrédients et assaisonnements pour devenir un plat d'accompagnement.

COMMENT TROUSSER UNE VOLAILLE

Avant de faire rôtir certaines viandes et volailles, on les maintient parfois en place pour qu'elles gardent une forme compacte. Ou bien on les trousse pour qu'elles cuisent de façon uniforme, sinon des parties saillantes, comme les ailes ou le bout des pilons de poulet, peuvent brûler. Le troussage est parfois simple : on replie le bout des ailes à l'intérieur et on attache les cuisses de poulet ensemble avec de la ficelle de cuisine. Si l'oiseau est farci, le troussage peut parfois être un peu plus compliqué (voir p. 12). Quand on a une viande, par exemple un filet de bœuf ou un rôti de longe de porc, on attache la pièce de viande pour qu'elle conserve sa forme et qu'on puisse bien les découper, ce qui assure une présentation attrayante.

CHOISISSEZ UN PLAT DE LA BONNE DIMENSION

L'utilisation d'un plat d'une taille appropriée contribue au succès du rôtissage. Si le plat est trop grand, le jus de cuisson va s'évaporer facilement et l'aliment pourrait coller au fond du plat. S'il est trop petit et profond, l'air ne pourra pas circuler autour de l'aliment et il cuira à la vapeur. Vous aurez alors un rôti pâle et insipide et, comme la vapeur est plus chaude que l'air, la viande sera trop cuite. Choisissez un plat peu profond juste assez grand pour recevoir l'aliment. Et dans le plat, placez toujours la viande le côté gras vers le haut, pour protéger la chair de la chaleur directe et pour que le gras qui fond arrose naturellement la chair.

CALIBREZ VOTRE FOUR

Pour que les aliments rôtis soient parfaitement réussis, la température du four doit être précise. Tous les fours sont différents, il est donc important de bien connaître le vôtre. Procurez-vous un bon thermomètre pour le four et vérifiez si la température correspond bien à la température affichée sur la cuisinière. Si les températures ne coïncident pas, souvenez-vous toujours de compenser la différence quand vous allumez le four. Presque tous les fours ont des endroits qui chauffent davantage. Trouvez-les dans votre four, puis tournez le rôti pendant la cuisson pour compenser la différence.

FAITES DORER LES ALIMENTS ET ARROSEZ-LES

Dans plusieurs recettes, on dit de commencer la cuisson du rôti à température élevée pendant une courte période de temps, puis de diminuer la température pour le reste de la cuisson. L'extérieur du rôti sera alors doré et la peau de la volaille sera croustillante. Faire dorer la viande caramélise les sucs naturels et donne un contraste de texture intéressant : l'extérieur est croustillant et l'intérieur reste juteux. Vous pouvez aussi saisir la viande, soit la mettre dans un plat à rôtir sur la cuisinière à haute température, puis finir la cuisson au four.

Pour obtenir une croûte encore plus belle, arrosez la viande, c'est-à-dire badigeonnez-la de jus de cuisson ou arrosez-la de jus à intervalles réguliers pendant la cuisson. On utilise parfois de la sauce à brunir du commerce pour arroser. Vous pouvez aussi badigeonner le rôti ou y verser une glace sucrée et collante avant de le mettre au four, puis ajouter de la glace régulièrement pendant la cuisson, vous aurez alors une croûte sucrée et caramélisée.

VÉRIFIEZ LA CUISSON

La partie la plus difficile du rôtissage est d'évaluer quand l'aliment est cuit. Ce mode de cuisson utilise la chaleur sèche, ce qui veut dire que si, par mégarde, vous faites trop cuire l'aliment, il sera sec et n'aura pas bon goût. Il est extrêmement important de savoir reconnaître à quel moment les aliments rôtis sont cuits, mais encore juteux et succulents.

La méthode la plus simple et la plus facile pour vérifier la cuisson est d'utiliser un thermomètre. Il en existe deux types principaux. Celui que l'on appelle thermomètre à sonde est parfois inséré dans la viande avant de la mettre au four et il reste en place jusqu'à ce que la température désirée soit atteinte. Ou il peut être introduit dans la viande vers la fin de la cuisson et laissé en place jusqu'à ce que la température désirée soit atteinte. Le thermomètre à lecture instantanée, qui donne une lecture quelques secondes après qu'on l'a inséré dans la viande, peut être utilisé seulement à l'extérieur du four. Peu importe le type de thermomètre, il est important de l'insérer au milieu de l'aliment, dans la partie la plus charnue. L'extrémité du thermomètre ne doit pas toucher l'os ni le gras, car la lecture pourrait être faussée.

Quand vous retirez viande et volaille rôties du four, la chaleur résiduelle, c'est-à-dire la chaleur qui est emprisonnée dans l'aliment, continue à les cuire. Par conséquent, quand vous vérifiez la cuisson, le thermomètre doit indiquer 2 ou 3 °C (env. 5 °F) sous la température désirée. C'est par la suite que la température désirée sera atteinte, pendant le temps de repos.

Si vous n'avez pas de thermomètre, faites une petite incision dans la partie la plus charnue du rôti et vérifiez la couleur de la viande. La viande saignante doit être rouge, la viande à point-saignante doit être rosée, la viande à point doit être rose pâle et la viande bien cuite ne doit plus être rosée. Pour vérifier la cuisson du poulet et de la dinde, insérez une mince brochette en métal ou la pointe d'un couteau dans l'articulation de la cuisse. Le jus qui en coule doit être transparent.

C'est en prenant de l'expérience que vous pourrez déterminer si les aliments sont cuits. Avec le temps, vous serez en mesure de dire quand certains rôtis sont cuits en voyant simplement leur couleur ou en exerçant une simple pression du bout d'un doigt. Plus vous sentez de résistance, plus la viande est cuite.

COMMENT DÉGLACER LE PLAT DE CUISSON

Le fait de déglacer un plat permet de conserver la saveur et les sucs qui se sont écoulés de la viande pendant la cuisson. Pour déglacer un plat, enlevez l'excès de gras, puis placez le plat sur la cuisinière, à feu élevé. Ajoutez un liquide, comme du vin ou du bouillon, faites mijoter et utilisez une cuillère en bois pour gratter les morceaux qui ont adhéré au fond. Continuez à chauffer jusqu'à ce que le liquide ait réduit, puis filtrez-le et servez le jus de cuisson avec le rôti. Pour faire de la sauce, ajoutez de la farine pour épaissir le jus de cuisson, puis ajoutez d'autre liquide. Reportez-vous à la p. 12, vous y trouverez un petit guide illustré sur la manière de déglacer le plat de cuisson et de faire une sauce.

LAISSEZ REPOSER LA VIANDE, DÉCOUPEZ-LA ET SERVEZ-LA

Quand le rôti est cuit, vous devez le laisser reposer un peu avant de le découper. Couvrez-le lâchement de papier d'aluminium pour le garder au chaud. Si vous serrez trop le papier, la viande continuera à cuire à la vapeur. Le temps de repos permettra au jus de se répartir dans la viande, ce qui l'empêchera de s'échapper quand vous couperez.

Pour découper la viande, utilisez un couteau tranchant. Sinon, vous devrez exercer trop de pression, ce qui pourrait faire sortir le jus de la viande. En général, vous devez couper la viande dans le sens contraire à la fibre, en tranches plutôt minces. Vous aurez alors des tranches plus tendres et le rôti sera plus facile à manger.

Il est possible de servir le rôti de façons différentes. Vous pouvez le présenter entier sur un plat de service avec des légumes, par exemple, ou le mettre sur la table et le couper devant vos invités, puis leur servir. Vous pouvez également découper le rôti dans la cuisine, puis disposer les tranches sur un plat de service chaud.

LES OUTILS DE BASE POUR LE RÔTISSAGE

LES PLATS À RÔTIR

Il existe différents plats à rôtir de diverses tailles et ils sont faits de différents matériaux, de l'acier inoxydable à l'aluminium, du verre à la porcelaine. Ils doivent être assez solides pour ne pas se déformer et assez résistants pour durer longtemps.

LES GRILLES

Les grilles sont à l'intérieur du plat à rôtir pour que la viande soit au-dessus du gras qui s'accumule au fond du plat pendant la cuisson. On trouve deux variétés de grilles : une grille plate et une grille dont les côtés sont inclinés, appelée grille verticale (on utilise ce type de grille pour la volaille).

LES THERMOMÈTRES

Vous pouvez utiliser deux types de thermomètre. Le thermomètre à sonde, qui peut être à ressort ou à liquide, enregistre la lente montée de la température interne du rôti. (Il y a aussi la sonde numérique, qui se vend plus cher et qui comporte un cadran d'affichage numérique relié par un long et mince fil métallique à la sonde insérée dans la viande. Vous déposez ce cadran sur le plan de travail, près de la cuisinière, et vous pouvez le consulter en un clin d'œil.) Le thermomètre à lecture instantanée, à ressort ou à liquide, est utilisé vers la fin de la cuisson, à l'extérieur du four. Il enregistre la température quelques secondes après avoir été inséré dans l'aliment. Pour de plus amples informations sur la façon d'utiliser ces deux types de thermomètre, reportez-vous à la section Vérifiez la cuisson, p. 8.

LES COUTEAUX À DÉCOUPER, LES FOURCHETTES ET LES USTENSILES EN ACIER

Les couteaux à découper doivent être tranchants et légèrement flexibles. Les couteaux pointus servent à découper la viande de l'os. Les couteaux à découper aux bouts arrondis sont utilisés pour la viande désossée. De nos jours, la plupart des couteaux sont en acier inoxydable. Par le passé, ils étaient en acier, matériau plus facile à aiguiser qui garde son tranchant. Mais les couteaux en acier sont plus difficiles à conserver, car l'acier a tendance à rouiller s'il n'est pas bien entretenu.

Les fourchettes à découper sont utilisées pour tenir la viande en place pendant qu'on la découpe. Elles ont habituellement un dispositif de sûreté pour protéger la main pendant que l'on coupe. Les fusils qui servent à aiguiser les couteaux se vendent avec les ustensiles à découper.

LES PLANCHES À DÉCOUPER

Pour découper la viande, on utilise une planche épaisse en bois. Elle est munie d'une rainure pour recueillir le jus de la viande.

LES PINCEAUX À BADIGEONNER

Un pinceau à badigeonner est un accessoire essentiel pour graisser les moules et badigeonner la viande et la volaille pendant qu'elles cuisent. Achetez un pinceau de bonne qualité, car les autres ont tendance à perdre leurs poils.

LA FICELLE DE CUISINE

Pour attacher ou pour trousser la viande, la volaille et le poisson avant de les cuire, on utilise de la ficelle de cuisine. Il faut mouiller la ficelle pour l'empêcher de s'étirer pendant la cuisson.

LES TECHNIQUES DE BASE (étape par étape)

COMMENT DÉCOUPER UN GIGOT D'AGNEAU

• Sur une planche à découper, tenez le gigot d'agneau cuit par la partie saillante de l'os, en utilisant une serviette de table ou des pinces de cuisine. La partie ronde qui renferme le plus de chair doit être placée vers le haut et vous devez pencher le gigot. Puis, avec un couteau tranchant, faites des tranches minces en coupant presque parallèlement à l'os.

• Tournez le gigot. Du côté opposé, vous verrez le long muscle. Coupez-le aussi en tranches minces.

• Coupez enfin la viande à l'extrémité du jarret, parallèlement à l'os et près de l'endroit où vous tenez le gigot. Pendant que vous coupez, disposez les tranches de viande sur un plat de service en les faisant se chevaucher légèrement.

COMMENT FARCIR ET TROUSSER UNE VOLAILLE

• Rincez l'intérieur et l'extérieur de l'oiseau à l'eau courante, puis asséchez-le bien avec du papier essuie-tout.
• Déposez la farce dans la cavité de l'oiseau, en prenant soin de ne pas trop la tasser.

• Coupez un bout de ficelle de cuisine à peu près deux fois plus long que la longueur de la volaille. Repliez l'extrémité des ailes sous le dos de l'oiseau, puis tournez-le sur le dos. Glissez la ficelle sous les ailes en fixant l'extrémité des ailes au corps.

• Croisez la ficelle au milieu du dos. Ramenez les bouts de ficelle sous les pilons, puis passez les bouts de chaque côté de la poitrine.

• Attachez les pilons ensemble, enroulez la ficelle autour du croupion, tirez fermement, puis attachez encore le tout. Coupez les bouts de ficelle qui dépassent.

COMMENT DÉGLACER ET FAIRE UNE SAUCE

• Versez l'excès de gras du plat à rôtir. Ou encore versez le jus de cuisson du plat à rôtir, avec le gras, dans un verre à mesurer transparent. Laissez reposer pendant environ 1 min, puis dégraissez la surface du liquide. Conservez le gras et remettez le jus dégraissé dans une casserole.

• Mettez la casserole sur la cuisinière, à feu élevé. Ajoutez un trait de vin ou de bouillon, portez à ébullition, puis grattez le fond du plat avec une cuillère en bois pour détacher tous les petits morceaux qui ont adhéré au fond. Si vous faites une sauce dans le plat à rôtir, ajoutez plus de liquide, quand c'est indiqué dans la recette, puis faites réduire le tout jusqu'à ce que la sauce ait légèrement épaissi. Salez, poivrez et passez dans un tamis au-dessus d'un bol chaud.

• Si vous faites de la sauce au jus de viande, retirez tout le jus de cuisson, sauf 1 c. à soupe de gras de la première étape. Déglacez la casserole en utilisant un trait de liquide, comme c'est indiqué à la deuxième étape, puis saupoudrez-y environ 1 c. à soupe de farine et mélangez vivement pour bien incorporer la farine au liquide.

• Quand le liquide est incorporé et que le mélange commence à bouillir, versez le reste du liquide dans la casserole, fouettez, puis laissez mijoter, en brassant, jusqu'à ce que le mélange soit légèrement épais.

• Salez et poivrez la sauce, puis passez-la dans un tamis au-dessus d'un bol chaud.

Pour savoir quand le rôti est cuit, reportez-vous à la p. 8 et, pour de l'information sur les thermomètres, rendez-vous à la p. 10.

LE BŒUF ET LE VEAU
Saignant : 60 °C (140 °F)
À point-saignant : 65 °C (150 °F)
À point : 70 °C (155 °F)
Bien cuit : 75 °C (165 °F)

L'AGNEAU
À point-saignant : 60 °C (140 °F)
À point : 65 °C (150 °F)
Bien cuit : 80 °C (175 °F)

LE PORC
À point : 70 °C (155 °F)

LE POULET, LA DINDE ET LE CANARD
70 °C (155 °F) pour la poitrine de poulet,
80 °C (175 °F) pour la cuisse de poulet
75 °C (165 °F) pour la poitrine de dinde,
80 °C (175 °F) pour la cuisse de dinde
65 °C (150 °F) pour la poitrine de canard,
80 °C (175 °F) pour la cuisse de canard
Ou encore, insérez une brochette mince dans l'articulation de la cuisse. Le jus qui en coule doit être transparent.

LE POISSON
À l'aide de la pointe d'un couteau ou d'une fourchette, vérifiez si la chair est opaque, si elle est encore humide et si elle se détache facilement de l'arête centrale.

Marinade au citron et au romarin

Donne 250 ml (1 tasse), soit suffisamment de marinade
pour un aliment à rôtir d'environ 1,5 kg (3 lb)

Pour le poulet, la dinde, le porc, l'agneau, le canard, le poisson ou les légumes.

• À l'aide d'un épluche-légumes, couper des zestes de citron et les laisser tomber dans un grand bol. Verser le jus de citron et l'huile d'olive dans le bol. Mettre le romarin et l'ail dans un mortier, puis les écraser grossièrement à l'aide du pilon. Ajouter ce mélange au bol contenant l'huile d'olive et le zeste. Bien mélanger. Saler et poivrer.

• Ajouter à la marinade l'aliment qui doit être rôti, puis le retourner pour l'enduire également du mélange. Couvrir et placer au réfrigérateur pendant 3 h s'il s'agit de poisson. Placer les autres aliments au réfrigérateur de 3 à 24 h.

- 1 citron
- 60 ml (¼ tasse) de jus de citron fraîchement pressé
- 125 ml (½ tasse) d'huile d'olive
- Les feuilles de 4 brins de romarin frais
- 5 gousses d'ail
- Sel de mer et poivre noir fraîchement moulu

Marinade au vin rouge

Donne 2,5 litres (10 tasses), soit suffisamment de marinade
pour un aliment à rôtir d'environ 2 kg (4 lb)

Pour le bœuf, le veau, le porc, l'agneau ou le canard.

• À l'aide d'un épluche-légumes, couper des zestes d'orange et les laisser tomber dans un grand bol. Ajouter l'oignon, les carottes, le céleri, les feuilles de laurier, le poivre et le genièvre. Verser le vin et l'huile d'olive. Bien mélanger. Saler et mélanger encore une fois.

• Ajouter à la marinade l'aliment qui doit être rôti, puis le retourner pour l'enduire également du mélange. Couvrir et placer au réfrigérateur pendant au moins 6 h ou même toute la nuit.

- 1 orange
- 1 oignon jaune en tranches fines
- 2 carottes pelées et grossièrement hachées
- 3 branches de céleri grossièrement hachées
- 3 feuilles de laurier
- 8 grains de poivre noir
- 5 baies de genièvre
- 1,5 litre (6 tasses) de vin rouge
- 3 c. à soupe d'huile d'olive
- Sel de mer

- 3 ou 4 citrons verts
- 2 c. à soupe de sucre en poudre
- 60 ml (¼ tasse) de sauce de poisson
- 3 gousses d'ail en tranches fines
- 2 longs piments rouges frais,
  en tranches fines
- 60 g (¼ tasse) de gingembre frais,
  pelé et finement tranché
- 1 bouquet de coriandre fraîche,
  les racines intactes, de préférence

Pour le poisson, le poulet, le porc et les légumes.

• Presser les citrons verts pour en extraire le jus. Verser le jus dans un grand bol et réserver le zeste. Ajouter le sucre au jus et mélanger jusqu'à ce que le sucre soit dissous. Verser la sauce de poisson, puis ajouter l'ail, les piments, le gingembre et le zeste réservé. Hacher grossièrement la coriandre avec la tige et les racines, l'ajouter au contenu du bol et bien mélanger.

• Ajouter à la marinade l'aliment qui doit être rôti, puis le retourner pour l'enduire également du mélange. Couvrir et placer au réfrigérateur pendant 3 h s'il s'agit de poisson. Sinon, placer au réfrigérateur pendant au moins 3 h et même jusqu'à 24 h.

NOTE : La sauce de poisson est un assaisonnement que l'on utilise souvent dans le Sud-Est asiatique. Elle est fabriquée dans des barils en bois où l'on superpose du sel et différentes couches de petits poissons semblables à des anchois. On laisse le mélange fermenter, puis on le presse pour en extraire le liquide salé et piquant. Recherchez les marques vietnamiennes ou thaïlandaises.

Assaisonnement aux parfums du Moyen-Orient

Donne 3 c. à soupe, soit une quantité suffisante pour
assaisonner un aliment à rôtir d'environ 2 kg (4 lb)

INGRÉDIENTS

- 1 bâton de cannelle, en petits morceaux
- 8 grains de poivre noir
- 4 baies de piment de la Jamaïque
- 5 gousses de cardamome
- 1 c. à soupe de graines de cumin
- 1 c. à soupe de graines de coriandre
- Sel de mer
- Huile d'olive pour badigeonner

PRÉPARATION

Pour le poulet, l'agneau, le poisson ou les légumes.

• Dans une poêle à frire, à feu moyen, mettre la cannelle, le poivre, le piment de la Jamaïque et la cardamome. Les faire griller, en brassant de temps en temps, pendant 3 min. Ajouter le cumin et la coriandre et continuer à faire griller jusqu'à ce qu'une bonne odeur s'en dégage, soit pendant environ 2 min de plus. Retirer du feu, mettre les épices dans une petite assiette et les laisser refroidir pendant 10 min.

• Mettre les épices dans un mortier et en faire une fine poudre, à l'aide du pilon. Saler et bien mélanger.

• Badigeonner légèrement d'huile l'aliment qui doit être rôti. Le parsemer également du mélange d'assaisonnement, puis en frotter l'aliment ou le retourner dans le mélange pour l'en couvrir uniformément.

Assaisonnement ou marinade à l'indienne

- 2 c. à café (2 c. à thé) de graines de moutarde noire
- 2 c. à café (2 c. à thé) de graines de coriandre
- 1 c. à café (1 c. à thé) de graines de cumin
- 1 c. à café (1 c. à thé) de graines de fenugrec
- 4 gousses de cardamome
- 1 bâton de cannelle, en petits morceaux
- 1 c. à café (1 c. à thé) de gingembre moulu
- ½ c. à café (½ c. à thé) de curcuma moulu
- Huile de canola pour badigeonner (facultatif)
- Yogourt nature (facultatif)

Donne 3 c. à soupe, soit une quantité suffisante pour assaisonner un aliment d'environ 2 kg (4 lb). Si vous utilisez du yogourt, 250 g (1 tasse) de yogourt assaisonné donne assez de marinade pour un aliment d'environ 1 kg (2 lb).

Pour le poulet, la dinde, le porc, l'agneau, le veau, le canard, le poisson et les légumes.

- Dans une poêle, faire griller les graines de moutarde pendant environ 6 min, à feu moyen, en brassant souvent, jusqu'à ce qu'elles commencent à éclater. Les déposer sur une assiette et les laisser refroidir. Entre-temps, à feu moyen, dans la même poêle, mettre coriandre, cumin, fenugrec, cardamome et cannelle. Faire griller pendant environ 3 min, en brassant, jusqu'à ce qu'une bonne odeur s'en dégage. Retirer du feu, mettre sur une autre assiette et laisser refroidir pendant 10 min.

- Mettre les épices grillées dans un mortier et les broyer à l'aide du pilon. Incorporer le gingembre et le curcuma.

- Badigeonner légèrement d'huile l'aliment qui doit être rôti. Le parsemer du mélange d'assaisonnement, puis en frotter l'aliment ou le retourner dans le mélange pour l'en couvrir uniformément. Ou encore, omettre l'huile et incorporer le mélange d'assaisonnement dans du yogourt nature pour former une marinade, dans les proportions de 1 c. à café (1 c. à thé) de mélange d'assaisonnement par 250 g (1 tasse) de yogourt.

Assaisonnement à la méditerranéenne

- 1 c. à soupe de graines de fenouil
- 3 feuilles de laurier
- 2 gousses d'ail
- 7 g (¼ tasse) de marjolaine fraîche, grossièrement hachée
- Le zeste de 1 citron râpé
- Sel de mer et poivre noir fraîchement moulu
- Huile d'olive pour badigeonner

Donne 3 c. à soupe, soit une quantité suffisante pour assaisonner un aliment à rôtir d'environ 2 kg (4 lb)

Pour le poulet, le porc, l'agneau, le poisson et les légumes.

- Dans un mortier, mettre les graines de fenouil, les feuilles de laurier et l'ail, puis les écraser grossièrement avec le pilon. Mettre ensuite dans un petit bol. Ajouter la marjolaine et le zeste de citron et bien mélanger. Saler et poivrer, puis mélanger encore.

- Badigeonner légèrement d'huile l'aliment qui doit être rôti. Le parsemer du mélange d'assaisonnement. Frotter l'aliment ou le retourner dans le mélange pour l'en couvrir uniformément.

Farce aux fines herbes

Donne environ 460 g (4 tasses)

Pour le poulet, la dinde, le porc, l'agneau, le canard ou le poisson.

• Dans une grande poêle à frire, faire fondre le beurre, à feu moyen-élevé. Ajouter l'oignon et le bacon et cuire, en brassant de temps en temps, jusqu'à ce que l'oignon soit transparent et que le bacon soit croustillant, soit pendant environ 5 min. Retirer du feu.

• Dans un grand bol, mettre la mie de pain, la sauge, le thym et l'origan. Ajouter le mélange d'oignon, le sel et le poivre. Mélanger pour obtenir une consistance semblable à celle que l'on voit sur la photo.

- 6 c. à soupe de beurre
- 1 oignon jaune finement haché
- 180 g (6 oz) de tranches de bacon ordinaire, grossièrement hachées
- 200 g (3 ½ tasses) de mie de pain, émiettée
- 2 c. à soupe de sauge fraîche, grossièrement hachée ou 2 c. à café (2 c. à thé) de sauge séchée
- 2 c. à soupe de thym frais ou 2 c. à café (2 c. à thé) de thym séché
- 2 c. à soupe d'origan frais ou 2 c. à café (2 c. à thé) d'origan séché
- Sel et poivre noir fraîchement moulu

Farce au fromage ricotta

Donne environ 560 g (2 ½ tasses)

- 500 g (2 tasses) de fromage ricotta
- 15 g (½ tasse) de menthe fraîche, grossièrement hachée
- 15 g (½ tasse) de persil italien grossièrement haché
- 10 g (⅓ tasse) de basilic frais, grossièrement haché
- 2 c. à soupe de sauge fraîche, grossièrement hachée
- 2 c. à soupe de thym frais, grossièrement haché
- 1 œuf
- Sel et poivre noir fraîchement moulu

Pour le poulet, la dinde, le porc ou le canard.

- Mettre la ricotta dans un grand bol et la piler, à l'aide d'une fourchette, jusqu'à ce qu'elle soit ramollie. Ajouter la menthe, le persil, le basilic, la sauge, le thym, l'œuf et un peu de sel et de poivre. Bien mélanger.

Farce au couscous

Donne environ 625 g (3 tasses)

- 2 c. à soupe d'huile d'olive
- 1 oignon jaune coupé en 2, en tranches fines
- 2 c. à café (2 c. à thé) de cumin moulu
- 2 c. à café (2 c. à thé) de coriandre moulue
- 1 c. à café (1 c. à thé) de cannelle moulue
- 1 c. à café (1 c. à thé) de gingembre moulu
- 1 c. à soupe de miel
- 300 g (2 tasses) de couscous instantané
- 375 ml (1 ½ tasse) d'eau bouillante
- 200 g (1 tasse) de dattes fraîches ou séchées, dénoyautées et grossièrement hachées
- 60 g (½ tasse) de pistaches
- 60 g (2 tasses) de coriandre fraîche
- Sel et poivre noir fraîchement moulu

Pour le poulet, la dinde, le porc ou l'agneau.

- Dans une grande poêle à frire, chauffer l'huile à feu moyen. Ajouter l'oignon et cuire, en brassant de temps en temps, jusqu'à ce qu'il soit bien doré, soit pendant environ 15 min. Ajouter le cumin, la coriandre, la cannelle, le gingembre et le miel. Bien mélanger. Retirer du feu et laisser refroidir pendant 15 min.

- Mettre le couscous dans un grand bol, puis y verser l'eau bouillante. Couvrir de pellicule plastique et laisser reposer pendant 5 min.

- Retirer la pellicule plastique, puis aérer les grains de couscous avec une fourchette. Ajouter le mélange d'oignon, les dattes, les pistaches, la coriandre et un peu de sel et de poivre. Brasser délicatement pour répartir les ingrédients également.

LES SAUCES ET LES ACCOMPAGNEMENTS

Sauce au cresson

Donne environ 800 ml (3 ¹/₄ tasses)

Pour le poulet ou la dinde.

• Dans une casserole, chauffer le lait à feu doux. Piquer 3 clous de girofle dans chaque moitié d'oignon, puis déposer les morceaux d'oignon dans le lait. Dès que le lait parvient à ébullition, retirer l'oignon et le jeter. Ajouter la chapelure au lait bouillant, puis brasser jusqu'à ce que la sauce soit épaisse et que presque tout le lait ait été absorbé. Retirer du feu, puis incorporer le beurre et la muscade. Remettre à feu extrêmement doux, ajouter le cresson, bien mélanger, puis saler et poivrer. Retirer du feu, laisser refroidir et servir à température ambiante.

- 750 ml (3 tasses) de lait
- 6 clous de girofle
- 1 oignon jaune, coupé en 2
- 60 g (¹/₂ tasse) de chapelure fine provenant d'un pain vieux d'un jour
- 2 c. à soupe de beurre
- ¹/₄ c. à café (¹/₄ c. à thé) de muscade moulue
- 125 g (env. 4 tasses) de brins de cresson finement hachés dont on a retiré les tiges
- Sel et poivre noir fraîchement moulu

Sauce à la menthe

Donne environ 180 ml (³/₄ tasse)

Voici l'accompagnement parfait pour l'agneau.

• Mettre les feuilles de menthe dans un mortier, puis les broyer grossièrement avec le pilon. Ajouter le sucre et broyer encore jusqu'à ce que le mélange soit presque homogène. Verser l'eau bouillante et le vinaigre. Bien mélanger. Servir immédiatement, car la sauce devient foncée si on la laisse reposer.

- 30 g (1 tasse) de menthe fraîche
- 2 c. à café (2 c. à thé) de sucre en poudre
- 60 ml (¹/₄ tasse) d'eau bouillante
- 2 c. à soupe de vinaigre de vin blanc

- 3 longs piments rouges, frais
- 1 poivron rouge
- 3 gousses d'ail
- 250 ml (1 tasse) d'huile d'olive
- 1 jaune d'œuf
- Sel et poivre noir fraîchement moulu

Pour le poulet, la dinde ou le porc.

- Préchauffer le four à 180 °C (350 °F). Déposer les piments, le poivron et l'ail sur une tôle à biscuits munie d'un bord, puis y verser 1 c. à soupe d'huile d'olive. Mettre au four et faire rôtir jusqu'à ce que la peau des piments et celle du poivron soient un tout petit peu carbonisées et que l'ail soit légèrement doré, soit pendant environ 30 min. Retirer du four et placer piments et poivron dans un sac en plastique. Fermer le sac hermétiquement et laisser refroidir pendant 10 min. Laisser l'ail refroidir suffisamment pour qu'on puisse le manipuler.

- Peler les piments, le poivron et l'ail, puis épépiner le poivron. Passer ces légumes au robot culinaire jusqu'à l'obtention d'une consistance onctueuse. Ajouter le jaune d'œuf et mélanger jusqu'à ce que le mélange soit pâle et mousseux. Pendant que l'appareil fonctionne, ajouter lentement le reste de l'huile en un filet régulier jusqu'à ce que le mélange ait une consistance semblable à celle d'une mayonnaise. Saler et poivrer. Couvrir et placer au réfrigérateur jusqu'au moment de servir.

NOTE : Dans les régions qui ont été aux prises avec des problèmes de salmonelle, il faut éviter de manger des œufs de poule crus ou qui ne seraient pas suffisamment cuits. Il est recommandé d'acheter des œufs provenant de poulets fermiers qui ont mangé de la nourriture biologique, même si ce n'est pas une solution infaillible.

Cerises marinées

Pour le poulet, le porc, le canard, la dinde, les saucisses ou n'importe quelle viande fumée.

• Dans une grande casserole, mettre le vinaigre, le sucre, le poivre, les clous de girofle, les feuilles de laurier et la cannelle. À feu moyen-élevé, faire mijoter, en brassant, jusqu'à ce que le sucre se dissolve. Laisser mijoter le mélange, sans couvercle, pendant 10 min pour que les saveurs se marient, puis retirer du feu. Laisser reposer pendant 10 min pour que le mélange refroidisse un peu.

• Déposer les cerises dans un ou plusieurs bocaux froids, stérilisés. Y verser du mélange de vinaigre pour couvrir les cerises. Fermer hermétiquement les pots avec les couvercles, puis retourner les pots et les laisser ainsi pendant 5 min pour éviter qu'il y reste de l'air. Remettre ensuite les pots à l'endroit et les laisser refroidir à température de la pièce. Ranger dans un endroit frais et sec. Pour obtenir une saveur plus douce, ne pas ouvrir les bocaux avant 2 semaines. Les cerises peuvent se conserver jusqu'à 6 mois. Quand les pots sont ouverts, les conserver au réfrigérateur.

PRÉPARATION

INGRÉDIENTS

• 750 ml (3 tasses) de vinaigre de vin blanc
• 220 g (³/₄ tasse + 2 c. à soupe) de sucre
• 6 grains de poivre noir
• 4 clous de girofle
• 3 feuilles de laurier
• 1 bâton de cannelle
• 650 g (4 tasses) de cerises

Compote de pommes

Donne environ 800 ml (3 ¼ tasses)

- 4 à 5 pommes vertes moyennes, pelées, évidées et grossièrement hachées
- 440 ml (1 ¾ tasse) d'eau
- 1 c. à soupe de jus de citron fraîchement pressé
- 1 bâton de cannelle ou ½ c. à café (½ c. à thé) de cannelle moulue
- 125 g (⅔ tasse) de sucre

Pour le porc, la dinde, le canard ou le poulet.

• Dans une casserole, à feu élevé, mettre les pommes, l'eau, le jus de citron et la cannelle, puis porter à ébullition. Cuire, sans couvercle, pendant environ 20 min, en brassant de temps en temps, jusqu'à ce que les pommes se défassent et qu'elles aient une consistance homogène. Retirer le bâton de cannelle, s'il y a lieu, et le jeter. Ajouter le sucre et bien l'incorporer. Réduire à feu moyen et poursuivre la cuisson, en brassant de temps en temps, jusqu'à ce que le sucre soit dissous, soit pendant environ 5 min. Retirer du feu et servir chaud ou laisser refroidir et servir à température de la pièce.

Sauce aux canneberges

Donne environ 300 ml (1 ¼ tasse)

- 125 g (1 tasse) de canneberges séchées
- 300 ml (1 ¼ tasse) d'eau
- 60 g (¼ tasse) de sucre en poudre

Vous pouvez servir cette sauce avec la dinde.

• Dans une casserole, à feu élevé, mettre les canneberges et l'eau, puis porter à ébullition. Réduire à feu moyen et laisser mijoter les canneberges jusqu'à ce qu'elles soient tendres, soit pendant environ 15 min. Ajouter le sucre et poursuivre la cuisson, sans couvercle, pendant environ 5 min, jusqu'à ce que le sucre soit dissous et que le liquide ait une consistance semblable à celle d'un sirop léger. Retirer du feu et servir chaud ou à température de la pièce.

- 1 gousse de vanille coupée en 2 dans le sens de la longueur
- 500 ml (2 tasses) de lait
- 250 ml (1 tasse) de crème 15 %
- 6 jaunes d'œufs
- 125 g (⅔ tasse) de sucre en poudre

Pour les puddings, les tartes et les fruits pochés.

- À l'aide de la pointe d'un couteau, retirer les graines des demi-gousses de vanille, puis mettre les graines et la gousse dans une casserole. Verser le lait et la crème, puis porter à ébullition, à feu moyen. Entre-temps, mettre les jaunes d'œufs et le sucre dans un bol. À l'aide d'un fouet en forme de ballon, fouetter le mélange jusqu'à ce qu'il soit pâle et mousseux.

- Quand le mélange de lait a atteint le point d'ébullition, le retirer du feu. Verser graduellement le mélange de lait chaud dans le mélange d'œufs, en fouettant sans arrêt, jusqu'à ce que le tout soit bien mélangé. Verser ensuite ce mélange dans une casserole. Chauffer à feu doux et cuire, sans couvercle, en brassant sans arrêt avec une cuillère en bois jusqu'à ce que le mélange soit assez épais pour napper le dos de la cuillère, soit de 10 à 15 min. Pour éliminer tous les grumeaux, passer le mélange dans un tamis fin au-dessus d'un bol. Servir immédiatement ou couvrir d'une pellicule plastique déposée directement sur la crème (pour éviter la formation d'une petite peau). Placer au réfrigérateur jusqu'à 24 h et servir froid.

NOTE : Pour obtenir de la crème glacée à la vanille, vous pouvez verser la Crème anglaise froide dans une sorbetière. Suivez ensuite les indications du fabricant.

Kumquats confits

Donne environ 625 ml (2 ½ tasses)

- 1 kg (2 lb) de kumquats
- 1,5 kg (6 tasses) de sucre
- 1,5 litre (6 tasses) d'eau

L'acidité des kumquats se marie parfaitement bien à la richesse du canard ou du porc.

• Avec un couteau dentelé, couper les kumquats en 2 dans le sens de la longueur, puis ôter les pépins. Dans une casserole, mettre le sucre et l'eau à feu moyen, puis brasser jusqu'à ce que le sucre se dissolve. Porter à ébullition et laisser bouillir pendant 5 min. Ajouter les kumquats, réduire à feu moyen et laisser mijoter doucement, sans couvercle, pendant environ 5 min, jusqu'à ce qu'ils soient tendres.

• À l'aide d'une cuillère, mettre les kumquats et le sirop dans des bocaux stérilisés. Fermer hermétiquement les pots avec les couvercles, puis retourner les pots et les laisser ainsi pendant 5 min pour éviter qu'il y reste de l'air. Remettre ensuite les pots à l'endroit et les laisser refroidir à température de la pièce. Les ranger dans un endroit frais et sec. Les kumquats peuvent se conserver jusqu'à 3 mois. Une fois ouverts, placer les pots au réfrigérateur.

- 220 g (³/₄ tasse + 2 c. à soupe) de sucre
- 3 c. à soupe d'eau
- 60 g (½ tasse) d'amandes blanches, effilées

Parsemez des fruits grillés de quelques pralines en morceaux ou moulues ou incorporez-les à une Crème anglaise (voir p. 29). Servez-en quelques-unes avec la Rhubarbe et fraises à l'eau de rose (voir p. 114).

- Graisser une tôle à biscuits munie d'un bord ou la couvrir d'un papier parchemin. Dans une casserole dont l'intérieur est pâle (pour pouvoir juger de la couleur du caramel plus facilement), mettre le sucre et l'eau puis, à feu moyen, brasser sans arrêt, jusqu'à ce que le sucre soit dissous. Augmenter à feu élevé et porter à ébullition. Laisser cuire le sirop, sans couvercle et sans brasser, jusqu'à ce qu'il soit bien doré – jusqu'à l'étape appelée en confiserie grand cassé ou jusqu'à ce qu'un thermomètre à bonbons indique 150 °C (300 °F) –, soit pendant environ 10 min. Ne pas laisser le sirop devenir trop foncé, sinon il aurait un goût de brûlé. Si des cristaux se forment sur les côtés de la casserole, les brosser à l'aide d'un pinceau trempé dans l'eau chaude pendant que le sirop bout. Retirer du feu, ajouter les amandes et faire tourner la casserole pour répartir le sirop également. Verser le caramel chaud sur la tôle à biscuits, il s'étendra tout seul. Laisser refroidir complètement.

- Pour servir, casser en gros morceaux ou passer au robot culinaire jusqu'à l'obtention de la consistance désirée.

LE BŒUF, LE VEAU ET L'AGNEAU

Bœuf au basilic et aux pignons

- On peut demander à son boucher de couper l'intérieur de ronde en papillon. Ou on peut le couper soi-même : commencer par le côté le plus étroit puis, à l'aide d'un grand couteau tranchant, couper jusqu'à environ 1,2 cm (½ po) du côté opposé. Il ne faut pas couper complètement ce côté. Sur un plan de travail, étendre la viande à plat, le côté coupé vers le haut. Répartir les feuilles de basilic uniformément sur la viande. Dans un bol, mettre la mie de pain, les pignons, l'oignon, la sauge et un peu de sel et de poivre. Bien mélanger. Y verser graduellement le lait, en brassant sans arrêt, mais ajouter seulement la quantité nécessaire pour lier les ingrédients. Étendre le mélange également sur les feuilles de basilic.

- En commençant par le côté le plus long, rouler la viande pour former un cylindre. L'attacher ensuite avec des bouts de ficelle de cuisine humide à des intervalles de 7,5 cm (3 po). Badigeonner toute la viande d'huile.

- Préchauffer le four à 180 °C (350 °F). Déposer le bœuf dans une rôtissoire, sur une grille plate graissée, puis ajouter l'ail. Pour une cuisson à point, mettre le bœuf au four et le faire rôtir environ 1 h 15 min ou jusqu'à ce qu'un thermomètre inséré dans la partie la plus charnue indique 70 °C (155 °F). Pour obtenir une viande bien cuite, mettre au four environ 1 h 25 min ou jusqu'à ce que le thermomètre indique 75 °C (165 °F). Placer la viande sur une planche à découper, la couvrir lâchement de papier d'aluminium et la laisser reposer pendant 15 min avant de la trancher.

- Couper la ficelle, découper la viande en tranches épaisses, puis la disposer sur des assiettes chaudes. On peut aussi laisser le bœuf refroidir complètement avant de le découper, puis le trancher et le servir à température de la pièce. Accompagner chaque portion d'une demi-tête d'ail pour que les invités puissent l'étendre sur la viande.

- 1 morceau de bœuf d'intérieur de ronde de 15 cm (6 po) d'épaisseur, soit environ 2 kg (4 lb)
- 60 g (2 tasses) de basilic frais
- 125 g (2 tasses) de chapelure de pain au levain ou de chapelure fraîche, ordinaire
- 30 g (¼ tasse) de pignons
- 1 oignon jaune, haché
- 6 feuilles de sauge fraîche, finement hachées
- Sel et poivre noir fraîchement moulu
- 2 à 3 c. à soupe de lait
- Huile d'olive pour badigeonner
- 4 têtes d'ail coupées en 2, en diagonale

Rôti de surlonge, sauce au vin rouge et puddings Yorkshire

6 portions

- Préchauffer le four à 220 °C (425 °F). Déposer le rôti dans un plat à rôtir, le côté gras vers le haut. Saler et poivrer géné-reusement, puis y verser un filet d'huile d'olive. Frotter le rôti uniformément de sel, de poivre et d'huile.

- Mettre le bœuf au four et cuire pendant 15 min. Réduire la température du four à 180 °C (350 °F) et poursuivre la cuisson jusqu'à ce qu'un thermomètre inséré dans la partie la plus charnue indique 65 °C (150 °F) pour un rôti à point-saignant, soit de 40 à 45 min de plus ou 70 °C (155 °F) pour du bœuf à point, soit environ 50 min de plus. Placer la viande sur une planche à découper, la couvrir lâchement de papier d'alumi-nium et la laisser reposer pendant 15 min avant de la trancher.

- Verser le contenu du plat à rôtir dans un verre à mesurer transparent et laisser reposer pendant environ 1 min. Dégrais-ser ensuite la surface du liquide en laissant seulement environ 1 c. à soupe de gras à la surface. Conserver le gras retiré du jus de cuisson pour faire les puddings Yorkshire. Verser le jus de cuisson dégraissé dans le plat à rôtir et réserver. Ou encore, verser l'excès de gras du plat à rôtir en y laissant seulement 1 c. à soupe.

- Pour faire les puddings Yorkshire : augmenter la température du four à 200 °C (400 °F). Verser 1 c. à soupe du gras réservé dans chacune des 6 alvéoles d'un moule à muffins. S'il y a trop peu de gras, ajouter de l'huile de canola. Mettre le moule au four pour le faire chauffer. Dans un grand bol, tamiser ensemble la farine et le sel. Ajouter les œufs et fouetter pour bien mélanger. Ajouter le lait en un filet mince et continu, en battant sans arrêt pour obtenir une pâte homogène. Retirer le moule du four, répartir la pâte également dans le moule à muffins, puis remettre au four. Cuire les puddings jusqu'à ce qu'ils soient gonflés et dorés, soit pendant environ 20 min.

Ingrédients

- 1 rôti de surlonge désossé de 2 kg (4 lb)
- Sel et poivre noir fraîchement moulu
- 3 c. à soupe d'huile d'olive
- 60 ml (¼ tasse) de vin rouge sec
- 1 c. à soupe de farine tout usage
- 300 ml (1 ¼ tasse) de bouillon de bœuf
- 125 ml (½ tasse) de raifort préparé

PUDDINGS YORKSHIRE

- Le gras de cuisson du bœuf réservé
  + de l'huile de canola, si nécessaire
- 125 g (³/₄ tasse) de farine tout usage
- ¹/₂ c. à café (¹/₂ c. à thé) de sel
- 2 œufs
- 300 ml (1 ¹/₄ tasse) de lait

• Entre-temps, faire la sauce : mettre le plat à rôtir à feu moyen, sur la cuisinière. Ajouter 1 c. à soupe de vin, faire mijoter, puis déglacer le plat en utilisant une cuillère en bois pour gratter tous les petits morceaux qui ont adhéré au fond. Saupoudrer de farine et brasser rapidement pour que le mélange soit onctueux. Cuire jusqu'à ce que le liquide soit incorporé et que le mélange commence à bouillir, soit pendant environ 2 min. Verser le bouillon et le reste du vin peu à peu, en brassant entre chaque ajout, pour que le liquide soit complètement incorporé. Quand tout le liquide est ajouté, continuer à faire mijoter la sauce, en brassant sans arrêt, jusqu'à ce qu'elle ait légèrement épaissi, soit pendant environ 2 min. Passer la sauce dans un tamis fin au-dessus d'un bol chaud (ou d'un pichet pour pouvoir la verser ensuite facilement).

• Un peu avant que les puddings soient tout à fait prêts, couper le bœuf en tranches fines et les disposer sur des assiettes chaudes. Servir chaque portion avec un pudding. Verser la sauce sur le bœuf et sur les puddings. Servir une cuillerée de raifort avec chaque assiette.

Carré de veau farci aux olives et à la marjolaine

4 portions

Servez ce plat avec les Légumes du printemps (voir p. 104).

- On peut demander à son boucher de préparer le carré de veau. Ou bien on peut le faire soi-même : à l'aide d'un couteau tranchant, couper toute la viande et les tissus qui se trouvent sur la partie supérieure des os, soit la partie située à une distance de 5 à 7,5 cm (2 à 3 po) du haut des os. Enlever tout l'excédent de gras du carré de veau. Puis, à l'aide d'un long couteau mince et tranchant, faire une incision de 2,5 cm (1 po) ou un tunnel dans le sens de la longueur au centre du carré de veau. Réserver le carré.

- Dans un bol, mettre les deux types d'olive, la marjolaine et un peu de sel et de poivre (mais attention, car les olives peuvent être salées). Bien mélanger. Presser le mélange d'olive dans l'incision faite dans la viande en s'assurant qu'il y en a sur toute la longueur. Saler et poivrer le veau. Déposer les tranches de pancetta sur les portions bien charnues du carré de veau, en les faisant se chevaucher légèrement. Les fixer en les attachant avec de la ficelle de cuisine humide entre chaque paire d'os.

- Préchauffer le four à 180 °C (350 °F). Déposer le carré de veau dans un plat à rôtir, puis y verser un filet d'huile. Pour obtenir une viande à point, mettre le veau au four et cuire pendant environ 50 min jusqu'à ce qu'un thermomètre inséré dans la partie la plus charnue loin des os indique 70 °C (155 °F). Retirer la viande du four, la couvrir lâchement de papier d'aluminium et la laisser reposer pendant 15 min avant de la couper.

- Couper la ficelle et découper le carré en côtes individuelles. Disposer deux côtelettes et de la pancetta croustillante sur chaque assiette chaude et servir.

- 1 carré de veau d'environ 1,3 kg (2 ³/₄ lb), de 8 côtes
- 60 g (¹/₃ tasse) d'olives Kalamata dénoyautées, grossièrement hachées
- 60 g (¹/₃ tasse) d'olives vertes dénoyautées, grossièrement hachées
- 2 c. à soupe de marjolaine fraîche, grossièrement hachée
- Sel et poivre noir fraîchement moulu
- 10 fines tranches de pancetta
- 2 c. à soupe d'huile d'olive

Bout de côtes et glace à l'orange et au wasabi

• Pour faire la Glace à l'orange et au wasabi : dans une casserole, mettre le jus d'orange et le sucre à feu élevé. Porter à ébullition, en brassant pour dissoudre le sucre. Réduire à feu moyen et cuire de 3 à 5 min, en brassant de temps en temps, jusqu'à ce que le mélange épaississe. Retirer du feu, ajouter la sauce de poisson et le zeste d'orange. Bien mélanger. Laisser refroidir à température de la pièce.

• Préchauffer le four à 190 °C (375 °F). Déposer les côtes de bœuf dans un plat à rôtir juste assez grand pour les recevoir. Répartir le wasabi entre les côtes et en frotter la viande uniformément. Verser un filet de Glace à l'orange sur les côtes. Mettre les côtes au four et les faire rôtir, environ 20 min, en les arrosant de temps en temps du jus de cuisson jusqu'à ce qu'elles soient bien dorées. Réduire la température du four à 150 °C (300 °F) et poursuivre la cuisson, en arrosant de temps en temps, environ 2 h de plus jusqu'à ce que la viande soit tendre et qu'elle se détache facilement des os.

• Entre-temps, dans une petite poêle à frire, faire griller les graines de sésame à feu moyen pendant environ 6 min, en brassant de temps en temps, jusqu'à ce qu'elles soient bien dorées. Les faire refroidir ensuite sur une assiette.

• Mettre le riz dans une passoire et le rincer à l'eau courante jusqu'à ce que l'eau qui en sorte soit claire. Verser le riz dans une casserole, ajouter l'eau et mettre sur la cuisinière, à feu élevé. Porter à ébullition, couvrir et réduire à feu doux. Cuire de 8 à 10 min après avoir réduit le feu jusqu'à ce qu'il ne reste plus d'eau et que le riz soit tendre. Retirer du feu, ajouter la coriandre et brasser pour la répartir également.

GLACE À L'ORANGE ET AU WASABI

• 250 ml (1 tasse) de jus d'orange fraîchement pressé
• 125 g (½ tasse) de sucre
• 2 c. à café (2 c. à thé) de sauce de poisson (voir note p. 17)
• Le zeste de 1 orange, coupé en bandes étroites
• 1 c. à soupe de wasabi (voir note)

- 2 kg (4 lb) de bout de côtes de bœuf, coupé en 2 portions
- 2 c. à soupe de graines de sésame
- 200 g (1 tasse) de riz au jasmin (voir note)
- 375 ml (1 ½ tasse) d'eau
- 15 g (½ tasse) de coriandre fraîche

• Retirer le bœuf du four. Couper les côtes, puis les disposer dans un plat de service chaud. Parsemer les côtes de graines de sésame et servir avec du riz.

NOTES : Le wasabi, une racine épicée semblable au raifort, est un ingrédient populaire au Japon. Vous pouvez vous en procurer en poudre dans de petites boîtes de conserve ou en pâte dans des tubes.

Le riz au jasmin est un riz blanc à grain long, naturellement parfumé, cultivé surtout en Thaïlande. Les temps de cuisson peuvent varier selon les marques.

Vous pouvez trouver ces ingrédients dans les boutiques de produits asiatiques ou dans certaines épiceries.

Filet de bœuf mariné au vin rouge accompagné d'oignons glacés au vinaigre balsamique

8 portions

- Enlever tout excès de gras du filet de bœuf. Replier l'extrémité du filet à l'intérieur pour que le morceau ait une forme et une épaisseur égales, puis l'attacher avec de la ficelle de cuisine humide à des intervalles de 5 cm (2 po). Mettre le bœuf dans un plat juste assez grand pour le contenir, puis y verser la marinade. Retourner la viande dans la marinade pour bien l'en enduire, puis couvrir et placer au réfrigérateur pendant au moins 3 h ou même jusqu'à 3 jours.

- Préchauffer le four à 200 °C (400 °F). Disposer les oignons en une seule couche sur une tôle à biscuits munie d'un bord. Verser 1 c. à soupe d'huile d'olive sur les oignons, saler, poivrer et brasser pour les enduire d'huile également. Retirer le bœuf de la marinade. Avec du papier essuie-tout, bien l'assécher, puis le déposer sur la tôle à biscuits avec les oignons. Verser la dernière cuillère à soupe d'huile sur le bœuf, puis saler et poivrer.

- Mettre le bœuf au four pendant environ 40 min ou jusqu'à ce qu'un thermomètre inséré dans la partie la plus charnue indique 65 °C (150 °F) pour une viande à point-saignante ou que la viande revienne à sa position de départ quand on la presse du bout d'un doigt. Déposer le bœuf sur une planche à découper, le couvrir lâchement de papier d'aluminium et le laisser reposer pendant 15 min avant de le couper.

- Dans un petit bol, mettre le sucre et le vinaigre, puis brasser jusqu'à ce que le sucre se dissolve. Verser sur les oignons et brasser pour les enduire également du mélange. Remettre les oignons au four et poursuivre la cuisson environ 10 min de plus, en brassant de temps en temps, jusqu'à ce que le sirop ait réduit et que les oignons soient tendres.

- Trancher le bœuf dans le sens contraire à la fibre. Servir avec les oignons, la roquette et les pommes de terre.

INGRÉDIENTS

- 1 filet de bœuf de 1,5 kg (3 lb)
- Marinade au vin rouge (voir p. 16)
- 1 kg (2 lb) de petits oignons blancs à mariner, de 2,5 à 4 cm (1 à 1 1/2 po) de diamètre chacun
- 2 c. à soupe d'huile d'olive
- Sel et poivre noir fraîchement moulu
- 1 c. à soupe de sucre en poudre
- 60 ml (1/4 tasse) de vinaigre balsamique
- 220 g (7 oz) de jeunes feuilles de roquette
- Pommes de terre Anna (voir p. 106)

Épaule d'agneau à l'estragon

4 portions

- Préchauffer le four à 180 °C (350 °F). À l'aide d'un couteau tranchant, faire 6 incisions de 2 cm (¾ po) de profondeur chacune, réparties également sur toute la surface de l'agneau. Couper 3 filets d'anchois en 2 et mettre dans chaque incision un demi-filet d'anchois. Déposer l'agneau dans un plat à rôtir, y verser 2 c. à soupe d'huile, puis saler et poivrer. Frotter l'agneau de l'huile et des assaisonnements.

- Mettre l'agneau au four et le faire rôtir pendant 30 min. Réduire la température du four à 150 °C (300 °F) et poursuivre la cuisson pendant environ 1 h de plus jusqu'à ce que la viande se détache facilement des os.

- Entre-temps, dans un petit bol, râper le zeste de citron et réserver la chair. Hacher grossièrement le reste des anchois et l'ajouter au zeste avec l'estragon et les petits oignons. Bien mélanger et réserver.

- Remplir une grande casserole d'eau salée et porter à ébullition à feu élevé. Ajouter les haricots égouttés, réduire à feu moyen et cuire, sans couvercle, pendant environ 1 h 20 min jusqu'à ce qu'ils soient tendres. Égoutter les haricots dans une passoire, puis les mettre dans un bol. Presser le jus du citron réservé et en verser 1 c. à soupe dans un petit bol. Ajouter la moutarde et les 4 c. à soupe d'huile qui restent, puis les incorporer au mélange. Saler et poivrer, puis incorporer ce mélange aux haricots chauds. Garder au chaud.

- Retirer l'agneau du four et le déposer sur une planche à découper. Le couvrir lâchement de papier d'aluminium et le laisser reposer pendant 5 min.

- Découper l'agneau. Répartir les haricots dans des assiettes chaudes, puis y déposer l'agneau. Parsemer d'estragon et servir.

- 1 épaule d'agneau non désossée de 1,75 kg (3 ½ lb)
- 6 filets d'anchois conservés dans l'huile d'olive
- 6 c. à soupe d'huile d'olive
- Sel et poivre noir fraîchement moulu
- 1 citron
- 15 g (½ tasse) d'estragon frais, grossièrement haché plus une quantité supplémentaire pour en parsemer l'agneau avant de servir
- 3 oignons verts ou oignons nouveaux finement hachés
- 220 g (1 tasse) de flageolets secs ou de petits haricots de Lima, qui ont trempé toute la nuit dans l'eau, égouttés
- 1 c. à soupe de moutarde de Dijon

Gigot d'agneau accompagné de légumes et de sauce à la menthe

6 portions

• Mettre l'une des grilles du four dans le bas du four, environ au tiers, et l'autre grille dans le haut, environ au tiers aussi. Préchauffer le four à 200 °C (400 °F). Enlever l'excès de gras du gigot d'agneau. À l'aide d'un couteau d'office, faire des incisions de 2 cm (¾ po) de profondeur réparties également sur toute la surface du gigot. Insérer l'ail et le romarin dans les incisions. Déposer l'agneau dans un plat à rôtir, puis disposer les pommes de terre autour. Y verser 2 c. à soupe d'huile, puis saler et poivrer. Frotter l'agneau de l'huile et des assaisonnements.

• Dans un autre plat à rôtir suffisamment grand pour contenir les légumes en une seule couche, mettre la courge, les rutabagas et les carottes. Verser la dernière cuillère à soupe d'huile, puis saler et poivrer. Brasser pour enduire les légumes de l'huile et des assaisonnements. Bien étendre les légumes dans le plat.

• Déposer l'agneau au four, sur la grille du haut, et les légumes sur la grille du bas. Faire rôtir l'agneau et les légumes pendant 15 min. Ajouter les oignons avec les autres légumes, réduire la température du four à 180 °C (350 °F) et poursuivre la cuisson pendant environ 1 h 10 min de plus pour une viande à point ou jusqu'à ce qu'un thermomètre inséré dans la partie la plus charnue de l'agneau indique 65 °C (150 °F). Placer la viande sur une planche à découper, la couvrir lâchement de papier d'aluminium et la laisser reposer pendant 15 min avant de la couper.

• Retirer les pommes de terre du plat et les mettre avec les autres légumes. Remettre les légumes sur la grille du bas et poursuivre la cuisson pendant environ 15 min de plus jusqu'à ce qu'ils soient dorés et tendres.

• 1 gigot d'agneau non désossé de 2 kg (4 lb)
• 4 gousses d'ail en tranches fines
• Les feuilles de 2 brins de romarin frais
• Environ 7 pommes de terre moyennes, pelées et coupées en quartiers
• 3 c. à soupe d'huile d'olive
• Sel et poivre noir fraîchement moulu
• 1 courge musquée, coupée en 2, épépinée, pelée et coupée en morceaux de 5 cm (2 po)
• 1 ou 2 rutabagas pelés et coupés en morceaux de 5 cm (2 po)
• 3 carottes moyennes, pelées et coupées en morceaux de 5 cm (2 po)
• 3 oignons rouges moyens, coupés en quartiers (mais conserver le bout de la tige attaché)
• 125 ml (½ tasse) de vin rouge sec
• 1 c. à soupe de farine tout usage
• 125 ml (½ tasse) de bouillon de poulet
• Sauce à la menthe (voir p. 24)

VARIANTES

· Si vous souhaitez avoir une sauce plus pâle, remplacez le vin rouge par du vin blanc. Ou, si vous voulez une version sans alcool, remplacez le vin par du jus de pomme.

· Pour avoir une sauce au romarin, ajoutez 2 c. à café (2 c. à thé) de romarin frais, haché, au plat à rôtir avant de le mettre sur la cuisinière.

· Pour obtenir une sauce plus sucrée, incorporez 1 c. à soupe de gelée de canneberges à la sauce juste avant de servir.

• Entre-temps, faire la sauce : verser le jus de cuisson de l'agneau dans un verre à mesurer transparent et laisser reposer pendant environ 1 min. Dégraisser ensuite la surface du liquide en laissant seulement environ 1 c. à soupe de gras à la surface. Verser le jus de cuisson dégraissé dans le plat à rôtir et réserver. Ou encore, verser l'excès de gras du plat à rôtir en y laissant seulement 1 c. à soupe. Mettre le plat sur la cuisinière, à feu élevé. Ajouter le vin, porter à ébullition, puis déglacer le plat en utilisant une cuillère en bois pour gratter tous les petits morceaux qui ont adhéré au fond. Saupoudrer de farine et brasser rapidement pour que le mélange soit onctueux. Cuire pendant environ 2 min jusqu'à ce que le liquide soit incorporé et que le mélange commence à bouillir. Verser le bouillon peu à peu, en brassant entre chaque ajout, pour que le liquide soit complètement incorporé. Quand tout le liquide est ajouté, continuer à faire mijoter la sauce pendant environ 2 min, en brassant sans arrêt, jusqu'à ce qu'elle ait légèrement épaissi. Passer la sauce dans un tamis fin au-dessus d'un bol chaud.

• Découper l'agneau selon la méthode indiquée (voir p. 11). Servir avec des légumes, de la sauce faite avec le jus de cuisson et de la Sauce à la menthe.

Carré d'agneau à la cannelle et tomates au sumac

6 portions

- Préchauffer le four à 180 °C (350 °F). On peut demander à son boucher de préparer le carré d'agneau. Ou bien on peut le faire soi-même : à l'aide d'un couteau tranchant, couper toute la viande et les tissus qui se trouvent sur la partie située à 5 cm (2 po) du haut des os. Enlever tout l'excédent de gras du carré d'agneau. Saupoudrer les morceaux de chair de cannelle, saler et poivrer, puis y verser 2 c. à soupe d'huile. Frotter l'agneau de l'huile et des assaisonnements, puis le déposer dans un grand plat à rôtir.

- Couper les tomates et les aubergines en 2 dans le sens de la longueur, puis les déposer, côté peau vers le bas, dans le plat, autour du carré d'agneau. Verser le reste de l'huile sur les tomates et les aubergines, puis saupoudrer les tomates de sumac.

- Pour obtenir une viande à point-saignante, mettre l'agneau au four pendant environ 20 min ou jusqu'à ce qu'un thermomètre inséré dans la partie la plus charnue, loin des os, indique 60 °C (140 °F). Retirer l'agneau du four et le déposer sur une planche à découper. Le couvrir lâchement de papier d'aluminium et le laisser reposer 5 min.

- Entre-temps, remettre les légumes au four pendant environ 5 min jusqu'à ce qu'ils soient tendres. Dans un petit bol, bien mélanger le yogourt et la menthe.

- Couper chaque carré en côtelettes individuelles, puis déposer 4 côtelettes sur chaque assiette chaude. Accompagner de feuilles d'épinard et d'une cuillerée de yogourt à la menthe parsemée de pignons.

NOTE : Le sumac, la petite baie rouge vif séchée et réduite en poudre, donne un goût bien particulier à plusieurs plats, au Moyen-Orient. Vous pouvez vous en procurer dans les endroits où l'on vend des produits du Moyen-Orient.

INGRÉDIENTS

- 6 carrés d'agneau d'environ 375 g (3/4 lb), de 4 côtes chacun
- 1 c. à soupe de cannelle moulue
- Sel de mer et poivre noir fraîchement moulu
- 4 c. à soupe d'huile d'olive
- 6 tomates italiennes
- 6 aubergines japonaises
- 2 c. à café (2 c. à thé) de sumac moulu
- 100 g (1/3 tasse) de yogourt nature
- 7 g (1/4 tasse) de menthe fraîche, finement hachée
- 100 g (3 1/2 oz) de feuilles de jeunes épinards
- 30 g (1/4 tasse) de pignons grillés

Salade d'agneau et de légumes du printemps

6 portions

- Préchauffer le four à 180 °C (350 °F). Saler et poivrer l'agneau, puis y verser 2 c. à soupe d'huile d'olive. Frotter l'agneau de l'huile et des assaisonnements, puis le déposer dans un plat à rôtir.

- Mettre l'agneau au four pendant environ 8 min jusqu'à ce qu'il soit à point-saignant et que la viande revienne à sa position de départ quand on la presse du bout d'un doigt. Déposer l'agneau sur une planche à découper, le couvrir lâchement de papier d'aluminium et le laisser reposer pendant 5 min avant de le couper.

- Entre-temps, à feu élevé, porter à ébullition une grande casserole remplie d'eau salée. Ajouter les gourganes et les pois et cuire pendant 4 min. Ajouter le fenouil et les asperges, puis poursuivre la cuisson pendant environ 2 min de plus jusqu'à ce que les gourganes et les pois soient tendres et que le fenouil et les asperges soient al dente. Égoutter les légumes et les rincer à l'eau courante. Les égoutter encore et les mettre dans un bol de service.

- Dans une poêle à frire, chauffer 2 c. à soupe d'huile d'olive à feu élevé. Ajouter les oignons et cuire pendant environ 4 min, en brassant de temps en temps, jusqu'à ce qu'ils soient tendres. Les ajouter aux autres légumes.

- Dans un petit bol, fouetter le jus de citron, la moutarde et l'aneth, puis incorporer de l'huile d'olive extra-vierge pour faire de la vinaigrette. Saler et poivrer.

- Couper l'agneau dans le sens contraire à la fibre en tranches de 0,6 cm (¼ po) d'épaisseur, puis les ajouter aux légumes. Verser la vinaigrette sur la salade et bien mélanger. Servir immédiatement.

- 375 g (¾ lb) de longe d'agneau désossée
- Sel et poivre noir fraîchement moulu
- 4 c. à soupe d'huile d'olive
- 1 kg (2 tasses) de petites gourganes écossées
- 1 kg (3 tasses) de pois écossés
- 1 bulbe de fenouil paré, coupé en 2 et tranché finement, en diagonale
- Environ 16 minces tiges d'asperge, dont on a enlevé la partie dure, coupées en morceaux de 5 cm (2 po)
- 2 oignons rouges, coupés en 2 et finement tranchés
- 1 c. à soupe de jus de citron fraîchement pressé
- 2 c. à soupe de moutarde de Dijon
- 2 c. à soupe d'aneth frais, finement haché
- 3 c. à soupe d'huile d'olive extra-vierge

Côtelettes d'agneau garnies de pesto à la menthe

4 portions

• Préchauffer le four à 200 °C (400 °F). Dans une grande casserole, mettre les pommes de terre et y verser environ 7,5 cm (3 po) d'eau salée. À feu élevé, porter à ébullition et cuire pendant environ 30 min jusqu'à ce qu'elles soient tendres.

• Entre-temps, faire le pesto à la menthe. Passer la menthe, les pignons, le fromage et le jus de citron au robot culinaire jusqu'à ce qu'ils soient grossièrement hachés. Ajouter l'huile et faire une purée onctueuse. La transférer dans un contenant couvert et placer au réfrigérateur jusqu'à l'utilisation.

• À l'aide d'une ficelle de cuisine humide, attacher chaque côtelette d'agneau pour que l'extrémité de l'os reste bien en place. Déposer les côtelettes dans un plat à rôtir juste assez grand pour les contenir en une seule couche, puis saler et poivrer. Verser de l'huile également sur les côtelettes.

• Mettre l'agneau au four et cuire pendant 10 min. Réduire la température du four à 150 °C (300 °F) et poursuivre la cuisson pendant environ 10 min pour obtenir une viande à point jusqu'à ce que le thermomètre inséré dans la partie la plus charnue loin des os indique 65 °C (150 °F). Retirer l'agneau du four, puis le déposer sur un plat de service chaud. Couvrir lâchement de papier d'aluminium et laisser reposer 5 min.

• Égoutter les pommes de terre et, quand elles sont assez froides, les peler, les mettre dans un bol et en faire une purée onctueuse à l'aide d'un pilon. Ou encore, les peler et les passer dans un presse-purée, au-dessus d'un bol. Remettre les pommes de terre dans la casserole et ajouter le beurre, la crème, la moutarde et l'ail. Saler et poivrer, mettre les pommes de terre à feu moyen et bien mélanger jusqu'à ce que ce soit onctueux et très chaud. Mettre un lit de pommes de terre en purée sur chacune des assiettes chaudes, garnir de 2 côtelettes d'agneau et déposer une cuillerée de pesto à la menthe à côté.

INGRÉDIENTS

• Environ 7 pommes de terre rouges moyennes, non pelées
• 8 côtelettes d'agneau, d'environ 4 cm (1 1/2 po) d'épaisseur chacune
• Sel et poivre noir fraîchement moulu
• 1 c. à soupe d'huile d'olive
• 7 c. à soupe de beurre à température de la pièce
• 1 c. à soupe de crème 35 %
• 2 c. à soupe de graines de moutarde
• 2 gousses d'ail broyées

PESTO À LA MENTHE
• 90 g (3 tasses) de feuilles de menthe fraîche
• 45 g (1/3 tasse) de pignons
• 60 g (1/2 tasse) de parmesan râpé
• 1 c. à soupe de jus de citron fraîchement pressé
• 3 c. à soupe d'huile d'olive

LE PORC

Longe de porc à la sauge et aux pommes

• Préchauffer le four à 200 °C (400 °F). À l'aide d'un couteau tranchant, faire des marques en diagonale dans la couenne du porc à des intervalles de 0,6 cm (¼ po). Déposer le porc dans un plat à rôtir. Mettre les graines de fenouil dans un mortier, puis les broyer grossièrement à l'aide du pilon. Incorporer le sel et le poivre. Saupoudrer le porc uniformément du mélange de fenouil, puis en frotter la couenne. Verser l'huile uniformément sur le porc. Insérer 5 feuilles de sauge dans chacune des extrémités du porc roulé. Répartir les pommes également de chaque côté du rôti, puis parsemer les pommes uniformément du reste des feuilles de sauge.

• Mettre le porc au four pendant environ 30 min. Arroser les pommes de temps en temps avec le jus de cuisson jusqu'à ce que la couenne du porc commence tout juste à se fendiller. Réduire la température du four à 180 °C (350 °F) et poursuivre la cuisson environ 1 h 10 min de plus jusqu'à ce que la couenne soit croustillante et dorée et qu'un thermomètre inséré dans la partie la plus charnue de la longe indique 70 °C (155 °F) ou jusqu'à ce que le jus qui coule quand on pique la viande au centre avec une brochette soit transparent. Retirer le porc du four, le déposer sur une planche à découper, le couvrir lâchement de papier d'aluminium et le laisser reposer 15 min avant de le couper. Laisser les pommes dans le four éteint.

• Couper la ficelle et découper le porc en tranches de 0,6 cm (¼ po) d'épaisseur. Les disposer ensuite sur un plat de service chaud avec les pommes.

- 1 longe de porc désossée d'environ 2,25 kg (4 ½ lb) avec la couenne, ficelée
- 1 c. à soupe de graines de fenouil
- 2 c. à soupe de sel de mer
- 2 c. à café (2 c. à thé) de poivre noir fraîchement moulu
- 2 c. à soupe d'huile d'olive
- 20 feuilles de sauge fraîche
- 8 petites pommes à cuire, comme les Gala ou les Cortland, non évidées

- 4 c. à soupe de marmelade de citron vert
- 1 c. à soupe de zeste de citron vert, râpé
- 60 ml (¼ tasse) de jus de citron vert fraîchement pressé
- 220 g (1 tasse) de cassonade bien tassée
- 125 g (½ tasse) de moutarde de Dijon
- 2 c. à soupe d'huile d'olive
- ½ c. à café (½ c. à thé) de cannelle moulue
- ¼ c. à café (¼ c. à thé) de clous de girofle moulus
- Sel et poivre noir fraîchement moulu
- 1 jarret de porc entier d'environ 5 kg (10 lb), la couenne enlevée

• Préchauffer le four à 160 °C (325 °F). Graisser une grande grille plate d'au moins 2,5 cm (1 po) de hauteur et la mettre dans un plat à rôtir. Verser 2,5 cm (1 po) d'eau dans le plat.

• Dans un bol, mettre la marmelade, le zeste et le jus de citron vert. Bien mélanger. Ajouter la cassonade, la moutarde, l'huile, la cannelle et les clous de girofle, puis saler et poivrer. Bien mélanger encore une fois. Mettre le porc sur la grille. Saler et poivrer. Verser la moitié du mélange de citron vert sur la viande en l'étendant bien pour la couvrir uniformément.

• Mettre au four et cuire pendant environ 2 h 30 min, en arrosant du reste du mélange de citron vert toutes les 20 min jusqu'à ce que le porc soit doré de tous les côtés et qu'un thermomètre inséré dans la partie la plus charnue loin des os indique 70 °C (155 °F). Retirer le porc du four, le déposer sur une planche à découper, le couvrir lâchement de papier d'aluminium et le laisser reposer 15 min avant de le couper.

• Découper la viande et disposer les tranches sur un plat de service chaud. Servir immédiatement.

Filet de porc et salade figues-feta-noisettes

4 portions

- Mettre les feuilles de menthe dans un mortier, puis les broyer grossièrement à l'aide du pilon. Ajouter le jus de citron et l'huile d'olive, saler, poivrer et bien mélanger. Déposer le porc dans un plat étroit, y verser le mélange à la menthe, puis retourner le porc pour bien l'enduire de ce mélange. Couvrir et placer au réfrigérateur pendant au moins 3 h ou même jusqu'à 24 h.

- Mettre l'une des grilles du four dans le bas du four, environ au tiers, et l'autre grille dans le haut, environ au tiers aussi. Préchauffer le four à 200 °C (400 °F). Placer une grille plate dans un plat à rôtir. Retirer le porc de la marinade et bien l'assécher avec du papier essuie-tout. Déposer le porc sur la grille dans le plat à rôtir et mettre le plat au four sur la grille du haut. Faire rôtir seulement jusqu'à ce que le porc soit ferme au toucher, soit environ 17 min.

- Pendant que le porc cuit, faire la salade : étendre les noisettes sur une tôle à biscuits, mettre au four sur la grille du bas et faire griller pendant environ 5 min jusqu'à ce qu'elles soient dorées et qu'une bonne odeur s'en dégage. Les retirer du four et les laisser refroidir légèrement pendant 5 min. Les mettre ensuite dans du papier essuie-tout propre, puis les frotter vigoureusement entre les paumes de ses mains pour en retirer la mince pellicule brune. Hacher grossièrement les noisettes et les mettre dans un bol. Ajouter les figues, le fromage et la menthe. Dans un autre petit bol, fouetter le jus de citron et l'huile, puis saler et poivrer. Verser sur le mélange de figues et bien mélanger.

- Quand le porc est cuit, le retirer du four et le laisser reposer pendant 5 min avant de servir.

- Disposer les filets de porc sur des assiettes. Répartir la salade également entre les assiettes.

NOTE : Si vous ne trouvez que de gros filets de porc, achetez-en suffisamment pour avoir au total 1,25 kg (2½ lb). Le temps de cuisson sera à peu près le même. Coupez ensuite les filets en tranches épaisses et répartissez-les également dans les assiettes.

- 15 g (½ tasse) de menthe fraîche
- 60 ml (¼ tasse) de jus de citron fraîchement pressé
- 2 c. à soupe d'huile d'olive
- Sel et poivre noir fraîchement moulu
- 4 filets de porc d'environ 300 g (10 oz) chacun (voir note)

SALADE
- 60 g (⅓ tasse) de noisettes
- 6 figues fraîches, dont on a retiré la queue, coupées en quartiers
- 100 g (⅔ tasse) de fromage feta émietté
- 60 g (2 tasses) de menthe fraîche, grossièrement hachée
- 2 c. à café (2 c. à thé) de jus de citron fraîchement pressé
- 1 c. à soupe d'huile d'olive
- Sel et poivre noir fraîchement moulu

Bacon frais à la poudre cinq-épices, accompagné de sauce aux pêches

INGRÉDIENTS

- 1,3 kg (2 1/3 lb) de bacon frais avec la couenne
- 2 c. à soupe d'huile d'arachide
- 1 c. à soupe de sel de mer
- Poivre noir fraîchement moulu
- 1 c. à soupe de poudre cinq-épices

SAUCE AUX PÊCHES

- 4 pêches dénoyautées et coupées en quartiers
- 2 bâtons de cannelle
- 4 anis étoilés
- 1 c. à soupe de gingembre frais, pelé et finement râpé
- 1 c. à soupe de saké
- 2 c. à café (2 c. à thé) de sauce soya
- 2 c. à café (2 c. à thé) de fécule de maïs
- 125 ml (1/2 tasse) de bouillon de poulet

PRÉPARATION

Vous pouvez servir ce plat avec des pak-choïs miniatures.

• Préchauffer le four à 220 °C (425 °F). À l'aide d'un couteau tranchant, faire des marques dans la couenne du bacon, en diagonale, à des intervalles de 0,6 cm (1/4 po). Déposer le bacon dans un plat à rôtir. Verser un filet d'huile sur le bacon, parsemer de sel, de poivre et de poudre cinq-épices et bien frotter la couenne de l'huile et des assaisonnements.

• Mettre le bacon au four et cuire pendant environ 30 min jusqu'à ce que la couenne commence à être croustillante. Dégraisser le plat, réduire la température du four à 160 °C (325 °F) et poursuivre la cuisson pendant environ 2 h de plus jusqu'à ce qu'une belle croûte se soit formée et que l'intérieur soit assez tendre pour que la viande se défasse quand on la presse avec une fourchette. Retirer le bacon du four et le déposer sur une planche à découper. Le couvrir lâchement de papier d'aluminium et le laisser reposer 15 min avant de le découper. Augmenter la température du four à 180 °C (350 °F).

• Entre-temps, faire la Sauce aux pêches : dans un plat à rôtir juste assez grand pour recevoir les pêches en une seule couche, mettre les pêches, la cannelle et l'anis étoilé. Mettre au four et cuire pendant environ 10 min jusqu'à ce que les pêches rendent leur jus. Retirer du four, jeter la cannelle et l'anis, puis mettre les pêches et le jus dans une casserole. Placer sur la cuisinière, à feu moyen, puis ajouter le gingembre, le saké et la sauce soya. Bien mélanger et faire mijoter. Dans un petit bol, dissoudre la fécule de maïs dans le bouillon. Ajouter le mélange de fécule aux pêches et cuire, en brassant de temps en temps, pendant environ 5 min jusqu'à ce que la sauce ait légèrement épaissi.

• Couper le bacon dans le sens contraire à la fibre en tranches de 2,5 cm (1 po) d'épaisseur. Servir immédiatement avec la Sauce aux pêches chaude.

LE POULET, LA DINDE ET LE CANARD

Poulet aux parfums asiatiques

4 portions

Vous pouvez servir le poulet avec du riz au jasmin (voir note, p. 41).

- 1 poulet de 1,5 kg (3 lb)
- 3 c. à soupe de sauce soya
- 1 c. à soupe d'huile d'arachide
- 2 c. à café (2 c. à thé) d'huile de sésame
- 2 c. à soupe de miel
- 6 anis étoilés
- 3 bâtons de cannelle
- 6 gousses de cardamome écrasées
- 3 gousses d'ail, en tranches
- 1 citron vert

• Retirer le cou du poulet et réserver. Rincer l'intérieur et l'extérieur du poulet à l'eau courante et bien l'essuyer avec du papier essuie-tout. Replier le bout des ailes à l'intérieur et trousser (voir p.13) les cuisses avec de la ficelle de cuisine humide. Déposer le poulet avec le cou dans un plat étroit.

• Dans un petit bol, mettre la sauce soya, les huiles, le miel, l'anis étoilé, la cannelle, la cardamome et l'ail pour faire la marinade. Badigeonner le poulet de marinade. Couvrir et placer au réfrigérateur pendant 1 h.

• Préchauffer le four à 200 °C (400 °F). Déposer une grille plate dans un plat à rôtir. Mettre 2 grandes feuilles de papier parchemin sur la grille. Retirer le poulet du plat, réserver la marinade et déposer le poulet au milieu du papier. Disposer le cou à côté du poulet. Badigeonner le poulet de la marinade réservée. À l'aide d'un épluche-légumes, faire un seul zeste de citron vert, long et étroit, et le laisser tomber sur la poitrine du poulet. Replier le papier sur le poulet, puis replier les bords pour que l'oiseau soit complètement couvert. Fixer le tout à l'aide de brochettes en bambou qui ont trempé dans l'eau pendant 30 min.

• Cuire le poulet au four de 50 à 55 min jusqu'à ce qu'un thermomètre inséré dans la partie la plus charnue loin des os indique 80 °C (175 °F). Ou piquer l'articulation de la cuisse avec une brochette. Le poulet est prêt quand le jus qui en coule est transparent. Retirer le poulet du four et le déposer sur une planche à découper. Le couvrir lâchement du papier parchemin provenant du plat à rôtir et le laisser reposer pendant 10 min avant de le découper.

• Couper le poulet, le disposer sur un plateau et le servir chaud ou à température de la pièce.

Poitrines de poulet farcies au fromage ricotta accompagnées de champignons et de lentilles

- 4 poitrines de poulet désossées d'environ 220 g (7 oz) chacune, coupées en 2, avec la peau
- Farce au fromage ricotta (voir p. 21)
- Environ 14 champignons de Paris de 5 cm (2 po) de diamètre, dont on a retiré les pieds, coupés en quartiers
- Environ 10 champignons shiitake frais, dont on a retiré les pieds, coupés en quartiers
- 150 g (5 oz) de pleurotes, dont on a retiré les pieds, coupés en 2 dans le sens de la longueur
- 60 ml (¼ tasse) d'huile d'olive
- Sel et poivre noir fraîchement moulu
- 2 c. à soupe de beurre à température de la pièce

LENTILLES
- 1 c. à soupe d'huile d'olive
- 1 oignon jaune grossièrement haché
- 2 gousses d'ail en tranches fines
- 3 brins de thym frais
- 220 g (7 oz) de bacon coupé en morceaux de 1 cm (½ po)
- 330 g (1 ⅓ tasse) de lentilles du Puy (voir note)
- 750 ml (3 tasses) de bouillon de poulet

• Préchauffer le four à 180 °C (350 °F). Rincer les poitrines de poulet à l'eau courante et bien les essuyer avec du papier essuie-tout. À l'aide des doigts, en partant de l'extrémité pointue de chaque poitrine, détacher délicatement la peau, en prenant soin de ne pas la déchirer et en conservant les autres côtés attachés. Mettre la farce entre la peau et la chair en la répartissant également entre les poitrines, puis fixer la peau sur chaque poitrine à l'aide d'un cure-dent. Réserver.

• Pour faire les lentilles : dans une poêle à frire, chauffer l'huile à feu élevé. Ajouter l'oignon, l'ail et le thym et cuire, en brassant pendant environ 5 min jusqu'à ce qu'ils soient tendres. Ajouter le bacon et cuire en brassant pendant environ 2 min jusqu'à ce qu'il soit bien doré. Ajouter les lentilles et le bouillon, porter à ébullition, réduire à feu doux et faire mijoter, sans couvercle, pendant environ 40 min jusqu'à ce que le bouillon soit presque complètement incorporé et que les lentilles soient tendres.

• Pendant que les lentilles cuisent, choisir un plat à rôtir suffisamment grand pour contenir les poitrines en une seule couche. Y mettre les champignons, verser 2 c. à soupe d'huile d'olive, saler, poivrer et brasser pour bien les couvrir d'huile. Déposer les poitrines sur les champignons, verser le reste de l'huile, puis saler et poivrer. Mettre au four et cuire pendant environ 35 min jusqu'à ce que la peau du poulet soit bien dorée et que les champignons soient tendres.

• Quand les lentilles sont cuites, incorporer le beurre, puis saler et poivrer au goût. Mettre des lentilles dans des assiettes chaudes et les garnir des poitrines de poulet. Servir les champignons à part.

NOTE : Les lentilles du Puy sont de toutes petites lentilles vert foncé qui conservent leur forme pendant la cuisson. Elles sont originaires de la région du Puy, dans le centre de la France, mais on en cultive maintenant ailleurs.

Poulet au citron et au thym

4 à 6 portions

• Mettre l'une des grilles du four dans le bas du four, environ au tiers, et l'autre grille dans le haut, environ au tiers aussi. Préchauffer le four à 190 °C (375 °F). Dans un plat à rôtir assez grand pour contenir tous les légumes en une seule couche, mettre les navets, la patate douce, les carottes, les panais et la courge. Verser 2 c. à soupe d'huile d'olive sur les légumes, puis saler et poivrer. Brasser pour bien enduire les légumes d'huile, puis les disposer en une seule couche. Mettre les légumes au four sur la grille du bas et les faire rôtir pendant 15 min.

• Entre-temps, retirer le cou du poulet et réserver. Rincer l'intérieur et l'extérieur du poulet à l'eau courante et bien l'essuyer avec du papier essuie-tout. Saler et poivrer l'intérieur de l'oiseau. Presser les demi-citrons sur le poulet et mettre le zeste à l'intérieur du poulet avec la moitié de l'ail et la moitié du thym. Trousser le poulet (voir p. 13), puis le déposer, la poitrine vers le haut, dans un autre plat à rôtir. Ajouter le reste de l'ail et le cou au plat. Saler et poivrer la peau, puis y verser 1 c. à soupe d'huile. Frotter la peau uniformément du sel, du poivre et de l'huile. Ajouter les pommes de terre dans le plat, saler et poivrer, puis verser le reste de l'huile.

• Déposer le poulet sur la grille du haut et le cuire avec les légumes pendant environ 1 h 10 min, en l'arrosant toutes les 15 à 20 min avec le reste du thym trempé dans le jus de cuisson jusqu'à ce que la peau et les pommes de terre soient bien dorées et qu'un thermomètre inséré dans la partie la plus charnue loin des os indique 80 °C (175 °F). Ou piquer l'articulation de la cuisse avec une brochette. Le poulet est prêt quand le jus qui en coule est transparent. Retirer le poulet du four et le déposer sur une planche à découper. Le couvrir lâchement de papier d'aluminium et le laisser reposer pendant 15 min avant de le découper.

- 3 navets moyens, pelés et coupés en quartiers
- 1 petite patate douce, pelée et coupée en morceaux de 5 cm (2 po)
- 3 carottes moyennes, pelées et coupées en bâtonnets de 5 cm (2 po)
- 1 ou 2 panais moyens, pelés et coupés en bâtonnets de 5 cm (2 po)
- 1 petite courge musquée coupée en 2, épépinée, pelée et coupée en morceaux de 5 cm (2 po)
- 60 ml (¼ tasse) d'huile d'olive
- Sel et poivre noir fraîchement moulu
- 1 poulet de 1,75 kg (3 ½ lb)
- 1 citron coupé en 2
- 1 tête d'ail coupée en 2, en diagonale
- 1 bouquet de thym frais
- Environ 7 pommes de terre à cuire moyennes, de 10 cm (4 po) de longueur chacune, pelées et coupées en 2, en diagonale
- 125 ml (½ tasse) de vin blanc

· Si vous voulez une sauce au goût d'ail plus prononcé, ajoutez une autre tête d'ail coupée en 2, en diagonale, au plat à rôtir, juste avant de faire rôtir le poulet.
· Remplacez les citrons jaunes par d'autres agrumes comme les citrons verts ou les oranges.
· Remplacez le thym par un bouquet de romarin frais. Frotter le poulet de 1 c. à soupe de graines de fenouil grossièrement broyées à l'étape où vous frottez le poulet d'huile, de sel et de poivre.

• Réduire la température du four à 100 °C (200 °F). Ajouter les pommes de terre aux légumes, dans l'autre plat, et remettre au four pour garder au chaud jusqu'au moment de servir.

• Pour faire la sauce : verser le liquide de cuisson du plat à rôtir dans un verre à mesurer transparent et laisser reposer environ 1 min. Dégraisser ensuite la surface du liquide. Verser le jus de cuisson dégraissé dans le plat à rôtir. Ou encore, dégraisser le jus de cuisson du plat à rôtir, en laissant le jus dégraissé dans le plat. Mettre le plat sur la cuisinière, à feu élevé. Porter à ébullition, ajouter le vin et déglacer le plat en utilisant une cuillère en bois pour gratter tous les petits morceaux qui ont adhéré au fond, puis appuyer sur l'ail pour libérer les gousses de leur membrane. Cuire pendant environ 2 min jusqu'à ce que le liquide ait réduit de moitié, puis retirer du feu.

• Découper le poulet, puis le disposer dans un plat de service chaud. Passer la sauce dans un tamis fin, puis la verser uniformément sur l'oiseau. Servir avec les légumes grillés.

Poussins farcis à la moutarde et aux coings

INGRÉDIENTS

- 4 poussins d'environ 500 g (1 lb) chacun (voir note)
- 8 feuilles de laurier
- 125 g (2 tasses) de mie de pain
- 2 c. à café (2 c. à thé) de moutarde sèche
- 125 g (½ tasse) de pâte de coings, finement hachée (voir note)
- 6 feuilles de sauge fraîche, grossièrement hachées
- 3 c. à soupe d'huile d'olive
- Sel et poivre noir fraîchement moulu

PRÉPARATION

- Préchauffer le four à 180 °C (350 °F). Rincer l'intérieur et l'extérieur des poussins à l'eau courante et bien les essuyer avec du papier essuie-tout. Replier le bout des ailes à l'intérieur. En partant de la cavité de l'oiseau, détacher délicatement la peau de la poitrine de chaque poussin avec les doigts, en prenant soin de ne pas la déchirer. Mettre 2 feuilles de laurier sous la peau de chaque petit oiseau, en plaçant 1 feuille sur chaque poitrine.

- Pour faire la farce : dans un bol, mettre la mie de pain, la moutarde, la pâte de coings, la sauge et 2 c. à soupe d'huile d'olive. Saler, poivrer et bien mélanger.

- Mettre le quart de la farce dans la cavité de chacun des poussins. (Il n'est pas nécessaire de trousser les pattes.) Déposer les oiseaux, la poitrine vers le haut, dans un plat à rôtir. Saler, poivrer et répartir le reste de l'huile également.

- Mettre le plat au four et cuire les poussins de 35 à 40 min jusqu'à ce qu'ils soient bien dorés et qu'un thermomètre inséré dans la partie la plus charnue loin des os indique 80 °C (175 °F). Ou piquer l'articulation de la cuisse avec une brochette. Le poussin est prêt quand le jus qui en coule est transparent.

- Pour servir, disposer les poussins sur un plat de service chaud. Dégraisser le jus de cuisson du plat, puis verser le jus dégraissé sur les poussins.

NOTES : Les poussins sont de petits poulets qui pèsent habituellement 500 g (1 lb) ou moins. Vous pouvez les remplacer par des poulets de Cornouailles.

La pâte de coings, obtenue en faisant cuire de la pulpe de coings avec une bonne quantité de sucre, est souvent consommée au dessert avec un fromage blanc, doux, en Amérique Latine, en Espagne et au Portugal. Vous pouvez vous en procurer dans les endroits où l'on vend des produits latino-américains, espagnols et portugais.

Cuisses de poulet, beurre aux épices, accompagnées de couscous

6 portions

- Mettre l'une des grilles du four dans le bas du four, environ au tiers, et l'autre grille dans le haut, environ au tiers aussi. Préchauffer le four à 180 °C (350 °F).

- Quand on a des cuisses entières, un petit morceau de colonne vertébrale est généralement attaché à l'os de la cuisse. À l'aide d'un petit couteau tranchant, couper à travers l'articulation de la cuisse et retirer le morceau de colonne vertébrale. Rincer les cuisses à l'eau courante et bien les essuyer avec du papier essuie-tout. Dans un petit bol, mettre le beurre, les épices moulues, le sel et le poivre. Bien mélanger avec une fourchette. À l'aide des doigts, détacher délicatement la peau de chacune des cuisses de poulet. Mettre environ le sixième du mélange de beurre entre la peau et la chair de chaque cuisse en répartissant le mélange également.

- Déposer les cuisses de poulet dans un plat à rôtir, y verser 2 c. à soupe d'huile d'olive, puis saler et poivrer. Mettre le plat au four sur la grille du bas et cuire pendant environ 40 min jusqu'à ce que la peau soit bien dorée et que le jus qui en coule soit transparent quand on pique l'articulation de la cuisse avec une brochette.

- Entre-temps, préparer le couscous : disposer les morceaux de courge en une seule couche sur une tôle à biscuits munie d'un bord. Y verser 2 c. à soupe d'huile, saler, poivrer, brasser pour les enduire uniformément d'huile, puis les disposer de nouveau en une seule couche. Déposer le plat sur la grille du haut et faire rôtir pendant environ 30 min jusqu'à ce que la courge soit tendre et bien dorée.

- Dans une poêle à frire, chauffer les 2 dernières cuillères à soupe d'huile d'olive à feu moyen. Ajouter les oignons et cuire de 10 à 15 min, en brassant de temps en temps, jusqu'à ce qu'ils soient brun foncé et croustillants. Réserver.

- 6 cuisses de poulet entières d'environ 330 g (11 oz) chacune
- 125 g (½ tasse) de beurre à température de la pièce
- 1 c. à café (1 c. à thé) de coriandre moulue
- 1 c. à café (1 c. à thé) de cumin moulu
- ½ c. à café (½ c. à thé) de paprika moulu
- ¼ c. à café (¼ c. à thé) de piment de la Jamaïque moulu
- ½ c. à café (½ c. à thé) de gingembre moulu
- ½ c. à café (½ c. à thé) de cannelle moulue
- Sel et poivre noir fraîchement moulu
- 2 c. à soupe d'huile d'olive

LE COUSCOUS

- 1 petite courge musquée coupée en 2, pelée, épépinée et coupée en morceaux de 1 cm (½ po)
- 60 ml (¼ tasse) d'huile d'olive
- Sel et poivre noir fraîchement moulu
- 2 oignons jaunes, coupés en 2 et finement tranchés
- 300 g (2 tasses) de couscous instantané
- 60 g (⅓ tasse) de raisins de Smyrne
- 375 ml (1 ½ tasse) d'eau bouillante
- 2 c. à soupe de beurre à température de la pièce, coupé en morceaux
- 30 g (1 tasse) de coriandre fraîche

• Dans un bol, mettre le couscous et les raisins. Y verser de l'eau bouillante, bien mélanger et couvrir d'une pellicule plastique. Laisser reposer pendant environ 5 min jusqu'à ce que l'eau soit incorporée. Aérer le couscous avec une fourchette, ajouter le beurre et brasser doucement jusqu'à ce que le beurre fonde. Ajouter les morceaux de courge, les oignons, la coriandre, le sel et le poivre, puis mélanger doucement le tout.

• Répartir le couscous entre les assiettes chaudes, puis y déposer les cuisses de poulet. Verser le jus de cuisson sur le poulet et servir.

Dinde farcie, sauce aux canneberges

• Préchauffer le four à 180 °C (350 °F). Rincer l'intérieur et l'extérieur de la dinde à l'eau courante et bien l'essuyer avec du papier essuie-tout. Replier le bout des ailes à l'intérieur, mettre de la farce dans la cavité de l'oiseau et attacher les cuisses ensemble avec de la ficelle de cuisine. Déposer la volaille dans un plat à rôtir et la frotter de 3 ½ c. à soupe de beurre. Couper un morceau de papier d'aluminium assez grand pour couvrir la poitrine et le badigeonner du reste du beurre. Saler et poivrer la dinde, puis déposer le papier d'aluminium sur la poitrine.

• Mettre la dinde au four et cuire pendant 2 h en retirant le papier d'aluminium toutes les 20 min pour arroser l'oiseau du jus de cuisson. Enlever le papier, augmenter la température du four à 220 °C (425 °F) et poursuivre la cuisson environ 20 min de plus jusqu'à ce que la dinde soit bien dorée et qu'un thermomètre inséré dans la partie la plus charnue loin des os indique 80 °C (175 °F). Retirer la dinde du four et la déposer sur une planche à découper. La couvrir lâchement de papier d'aluminium et la laisser reposer 10 min avant de la découper.

• Couper la ficelle et déposer la farce dans un bol de service chaud. Découper la dinde, puis la disposer sur un plateau de service chaud. Servir avec de la Sauce aux canneberges.

PRÉPARATION   INGRÉDIENTS

• 1 dinde d'environ 4 kg (8 lb)
• Farce aux fines herbes (voir p. 20)
• 4 c. à soupe de beurre à température de la pièce
• Sel et poivre noir fraîchement moulu
• Sauce aux canneberges (voir p. 28)

Poitrine de dinde farcie au couscous

- 1 poitrine de dinde entière d'environ 4 kg (8 lb)
- Farce au couscous (voir p. 21)
- 60 ml (¼ tasse) d'huile d'olive
- Sel et poivre noir fraîchement moulu
- Assaisonnement aux parfums du Moyen-Orient (voir p. 18)

- Préchauffer le four à 180 °C (350 °F). Rincer l'intérieur et l'extérieur de la dinde à l'eau courante et bien l'essuyer avec du papier essuie-tout. La déposer sur une planche à découper. À l'aide d'un couteau tranchant, couper le long du bréchet, de chaque côté. Pour couper la poitrine en 2 et libérer les deux moitiés de la carcasse, continuer à couper de chaque côté de la cage thoracique en coupant à travers les articulations qui relient la poitrine aux ailes. Déposer une demi-poitrine sur la planche à découper puis, en commençant par le côté le plus long, couper la partie la plus épaisse à l'horizontale et cesser de couper à environ 2,5 cm (1 po) du côté opposé pour laisser ce côté attaché. Répéter l'opération pour l'autre demi-poitrine. Ouvrir une demi-poitrine, le côté coupé vers le haut, sur la planche à découper. La couvrir de papier parchemin et l'aplatir uniformément à une épaisseur d'environ 2,5 cm (1 po). Répéter l'opération pour l'autre demi-poitrine.

- Répartir la farce entre les demi-poitrines : la déposer de haut en bas au milieu de la viande. En commençant par le côté le plus long de l'un des morceaux de viande, replier l'extrémité, replier les côtés à l'intérieur, puis rouler en forme de cylindre. Avec une ficelle de cuisine humide, attacher le rouleau à des intervalles de 7,5 cm (3 po). Répéter l'opération pour l'autre demi-poitrine. Badigeonner la viande d'huile, saler et poivrer, puis parsemer de l'Assaisonnement aux parfums du Moyen-Orient. Envelopper chaque morceau de dinde de papier d'aluminium, puis les déposer dans un plat à rôtir.

- Mettre la dinde au four et cuire pendant 1 h. Retirer le papier d'aluminium et poursuivre la cuisson environ 30 min de plus jusqu'à ce que la dinde soit dorée et qu'elle revienne à sa position de départ quand on la presse du bout d'un doigt. Retirer la dinde du four, la déposer sur la planche à découper, la couvrir lâchement de papier d'aluminium et la laisser reposer 10 min avant de la découper. Couper la ficelle et découper les rouleaux en tranches épaisses. Servir immédiatement.

Cuisses de dinde marinées au xérès, sauce piri-piri

4 portions

PRÉPARATION

- Rincer les cuisses de dinde à l'eau courante et bien les essuyer avec du papier essuie-tout. Les déposer ensuite dans un plat. Saler, poivrer et saupoudrer de paprika, puis bien frotter la peau de ces assaisonnements. Ajouter l'oignon, les carottes et les baies de genièvre, puis verser 2 c. à soupe d'huile sur les cuisses. Ajouter le xérès dans le plat et bien mélanger. Couvrir et placer au réfrigérateur pendant au moins 3 h ou même jusqu'à 3 jours.

- Préchauffer le four à 180 °C (350 °F). Retirer la dinde de la marinade, puis bien l'assécher avec du papier essuie-tout. Déposer les cuisses de dinde dans un plat à rôtir juste assez grand pour les recevoir et y verser le reste de l'huile. Mettre la dinde au four et cuire pendant environ 40 min jusqu'à ce qu'elle soit bien dorée et que le jus qui en coule quand on pique l'articulation de la cuisse avec une brochette soit transparent. Retirer les cuisses de dinde du four et les déposer sur une planche à découper, les couvrir lâchement de papier d'aluminium et les laisser reposer 10 min avant de les découper.

- Couper la viande, puis la disposer dans un plat de service chaud. Servir avec de la Sauce piri-piri.

INGRÉDIENTS

- 2 cuisses de dinde entières d'environ 650 g (1 ⅓ lb) chacune
- Sel et poivre noir fraîchement moulu
- 1 c. à soupe de paprika doux
- 1 oignon jaune, coupé en 2 et finement tranché
- 2 carottes pelées et grossièrement hachées
- 6 baies de genièvre
- 60 ml (¼ tasse) d'huile d'olive
- 625 ml (2 ½ tasses) de xérès sec
- Sauce piri-piri (voir p. 25)

Canard à l'orange et à la sauge

2 portions

- Préchauffer le four à 180 °C (350 °F). Mettre une grille en forme de V ou une grille plate dans un plat à rôtir. Rincer l'intérieur et l'extérieur du canard à l'eau courante et bien l'essuyer avec du papier essuie-tout. À l'aide d'une brochette, piquer toute la surface de la poitrine du canard, en perçant la peau. Saler et poivrer la peau et la cavité de l'oiseau, puis mettre les quartiers d'orange et la sauge dans l'ouverture. Déposer le canard sur la grille du plat à rôtir, puis y verser l'huile.

- Mettre le canard au four et cuire pendant 1 h. Réduire la température du four à 150 °C (300 °F) et poursuivre la cuisson pendant environ 1 h 30 min de plus jusqu'à ce que la peau soit croustillante et dorée et que la chair soit tendre quand on la pique avec un couteau.

- Retirer le canard du four et le déposer sur une planche à découper. Couper le canard en portions en conservant les os ou retirer la chair à l'aide d'un couteau. Servir avec des Kumquats confits.

- 1 canard d'environ 2,1 kg (4 ¹/₄ lb)
- Sel de mer et poivre noir fraîchement moulu
- 1 orange coupée en quartiers
- 7 g (¹/₄ tasse) de sauge fraîche
- 2 c. à soupe d'huile d'olive
- 125 g (¹/₂ tasse) de Kumquats confits (voir p. 30)

Cuisses de canard au gingembre accompagnées de nouilles de sarrasin

INGRÉDIENTS

- 4 cuisses de canard entières d'environ 250 g (½ lb) chacune
- 125 g (½ tasse) de gingembre frais, pelé et finement râpé
- 7 c. à soupe de mirin (voir note)
- 60 ml (¼ tasse) de vinaigre de riz
- 2 c. à café (2 c. à thé) de sauce soya
- 3 concombres anglais ou libanais, coupés en tranches fines, en diagonale
- 1 c. à café (1 c. à thé) de sel plus une quantité supplémentaire pour cuire les nouilles
- 90 g (3 oz) de nouilles soba ou nouilles de sarrasin séchées (voir note)
- 2 c. à soupe de gingembre rose mariné, en tranches (voir note)
- 2 c. à soupe de ciboulette fraîche finement hachée

PRÉPARATION

- Préchauffer le four à 180 °C (350 °F). Déposer les cuisses de canard dans un plat à rôtir juste assez grand pour les contenir, puis les parsemer uniformément de gingembre frais et y verser le mirin, le vinaigre et la sauce soya. Couvrir de papier d'aluminium, mettre au four et cuire pendant 45 min. Retirer le papier d'aluminium et poursuivre la cuisson pendant environ 20 min de plus jusqu'à ce que la peau soit croustillante et bien dorée.

- Pendant que le canard cuit, mettre dans un bol les concombres et 1 c. à café (1 c. à thé) de sel, bien mélanger, couvrir et laisser reposer pendant 30 min. À feu élevé, porter à ébullition une grande casserole d'eau salée, ajouter les nouilles et cuire pendant environ 4 min jusqu'à ce qu'elles soient tout justes tendres. Égoutter les nouilles dans une passoire et bien les rincer à l'eau courante. Réserver.

- Presser délicatement les concombres pour enlever l'excès d'eau, puis les mettre dans un bol propre. Ajouter le gingembre mariné et bien mélanger.

- Retirer les cuisses de canard du four et les répartir dans 4 assiettes chaudes. Les parsemer uniformément de ciboulette. Dans chaque assiette, mettre le quart des nouilles et du concombre à côté des cuisses de canard, puis servir immédiatement.

NOTES : Le mirin est un vin de riz doux que l'on utilise seulement pour faire la cuisine.

Les nouilles soba, connues aussi sous le nom de nouilles de sarrasin, se vendent séchées ou fraîches. Elles sont faites d'un mélange de sarrasin et de farine de blé.

Le gingembre rose mariné accompagne habituellement les sushis et les sashimis. Il se vend en tranches dans des bocaux ou des contenants. Vous pouvez vous procurer ces produits dans les endroits où l'on vend des produits japonais ou dans certains supermarchés.

LE POISSON ET LES FRUITS DE MER

Saumon entier au fenouil
et aux fines herbes

6 portions

• Préchauffer le four à 180 °C (350 °F). À l'aide d'un couteau tranchant, tailler le bulbe de fenouil, puis le couper en 2 dans le sens de la longueur, enlever les parties dures du bulbe, puis le couper en tranches fines, en diagonale. Mettre le fenouil dans un grand bol, ajouter les graines de fenouil, le basilic, le thym, l'oignon, le zeste de citron, puis saler et poivrer. Y verser 2 c. à soupe d'huile et bien mélanger.

• Rincer l'intérieur et l'extérieur du saumon à l'eau courante et bien l'essuyer avec du papier essuie-tout. Saler et poivrer l'intérieur du poisson. Mettre le saumon dans un plat à rôtir et le farcir du mélange de fenouil. Verser le reste de l'huile sur le saumon, puis saler et poivrer.

• Mettre le saumon au four et cuire pendant environ 45 min jusqu'à ce que la chair soit opaque et qu'elle se défasse en flocons quand on la pique avec la pointe d'un couteau. Retirer le poisson du four et servir immédiatement avec la farce.

- 1 bulbe de fenouil
- 2 c. à café (2 c. à thé) de graines de fenouil
- 30 g (1 tasse) de basilic frais
- 8 brins de thym frais
- 1 oignon rouge coupé en 2, puis coupé en tranches fines, en diagonale
- Le zeste de 1 citron, râpé
- Sel de mer et poivre noir fraîchement moulu
- 60 ml (¼ tasse) d'huile d'olive
- 1 saumon entier de 2,25 kg (4 ½ lb), paré

Pétoncles au pamplemousse et aux graines de coriandre

INGRÉDIENTS

PRÉPARATION

- Environ 1 kg (3½ tasses) de sel marin
- 12 pétoncles ou coquilles Saint-Jacques dans leur demi-coquille (voir note)
- 1 c. à soupe de graines de coriandre
- Sel de mer et poivre noir fraîchement moulu
- 2 c. à soupe d'huile d'olive extra-vierge
- 60 ml (¼ tasse) de jus de pamplemousse fraîchement pressé
- 10 g (⅓ tasse) de feuilles de coriandre fraîche

• Préchauffer le four à 220 °C (425 °F). Répartir le sel uniformément au fond du plat à rôtir. Il doit y en avoir une épaisseur de 1,2 cm (½ po). Disposer les pétoncles ou les coquilles Saint-Jacques dans le plat en pressant les coquillages dans le sel pour qu'ils tiennent bien en place.

• Dans une petite poêle à frire, faire griller les graines de coriandre à feu moyen pendant environ 4 min, en les brassant de temps en temps, jusqu'à ce qu'une bonne odeur s'en dégage. Retirer du feu et laisser refroidir légèrement pendant 5 min. Mettre les graines de coriandre dans un mortier, puis les broyer grossièrement avec le pilon.

• Saler et poivrer les coquillages, les saupoudrer de coriandre et y verser l'huile. Les mettre ensuite au four et cuire pendant environ 5 min jusqu'à ce qu'ils soient dodus et opaques. Verser sur chaque pétoncle ou coquille Saint-Jacques 1 c. à café (1 c. à thé) de jus de pamplemousse, garnir de feuilles de coriandre et servir immédiatement.

NOTE : S'il vous est impossible de trouver des pétoncles ou des coquilles Saint-Jacques dans leur coquille, procurez-vous 12 coquilles vides là où l'on vend des articles de cuisine. Déposez ensuite dans les coquilles les 12 coquillages écaillés, puis les mettre dans le sel.

Darnes de saumon aux parfums de laurier et de cerfeuil

6 portions

Vous pouvez servir les darnes sur un lit de jeunes poireaux (voir note).

• Préchauffer le four à 180 °C (350 °F). Déposer les darnes de saumon dans un plat à rôtir juste assez grand pour les recevoir. Parsemer chacune des darnes d'une quantité égale d'ail, de feuilles de laurier et de cerfeuil. Saler et poivrer, puis verser uniformément sur chacune des darnes de l'huile et du jus de citron.

• Mettre le poisson au four et cuire pendant environ 15 min jusqu'à ce que la chair soit opaque et qu'elle se défasse en flocons quand on la pique avec la pointe d'un couteau. Retirer le poisson du four et servir immédiatement sur des assiettes chaudes. Verser un peu d'huile d'olive supplémentaire, si désiré.

NOTE : Vous pouvez cuire des poireaux à la vapeur ou les faire braiser dans le bouillon de poulet, à feu moyen, de 8 à 10 min.

INGRÉDIENTS

- 6 darnes de saumon d'environ 180 g (6 oz) chacune
- 4 gousses d'ail en tranches fines
- 12 feuilles de laurier fraîches
- 15 g (¼ tasse) de cerfeuil frais
- Sel de mer et poivre noir fraîchement moulu
- 1 c. à soupe d'huile d'olive
- Le jus de 2 citrons verts ou de 2 citrons jaunes
- Huile d'olive en quantité supplémentaire pour servir (facultatif)

Thon sur un lit de poivrons, d'olives et d'anchois

6 portions

Servez le thon avec une salade verte.

• Préchauffer le four à 180 °C (350 °F). À l'aide d'un petit couteau tranchant, faire 6 incisions de 1,2 cm (½ po) d'épaisseur dans le thon à des intervalles réguliers, puis insérer un filet d'anchois dans chaque incision. Déposer le poisson dans un plat à rôtir.

• Mettre le poisson au four et cuire pendant environ 40 min jusqu'à ce que la chair soit opaque et qu'elle se défasse en flocons quand on la pique avec la pointe d'un couteau.

• Pendant que le thon cuit, dans une petite cocotte en métal, chauffer l'huile sur la cuisinière, à feu moyen. Ajouter les poivrons, l'oignon et l'ail et cuire pendant environ 10 min, en brassant de temps en temps, jusqu'à ce qu'ils soient tendres. Ajouter la marjolaine, les olives, le vinaigre, le sucre, le sel, le poivre et le reste des filets d'anchois. Poursuivre la cuisson pendant environ 2 min de plus, en brassant de temps en temps, jusqu'à ce que les saveurs se marient. Couvrir et retirer du feu.

• Retirer le thon du four et le déposer sur une planche à découper, puis le couper en tranches épaisses, dans le sens contraire à la fibre. Répartir les tranches également entre les assiettes chaudes et servir accompagné de poivrons braisés.

- 1,5 kg (3 lb) de filet de thon à nageoires jaunes, sans la peau
- 12 filets d'anchois dans l'huile d'olive
- 60 ml (¼ tasse) d'huile d'olive
- 3 poivrons rouges épépinés et finement tranchés
- 1 oignon jaune coupé en 2 et finement tranché, en diagonale
- 3 gousses d'ail en tranches fines
- 15 g (½ tasse) de marjolaine fraîche
- 75 g (½ tasse) d'olives niçoises
- 1 c. à soupe de vinaigre de vin rouge
- 2 c. à café (2 c. à thé) de sucre
- Sel de mer et poivre noir fraîchement moulu

Vivaneaux entiers dans une croûte de sel, sauce au tamarin et au piment

6 portions

PRÉPARATION

• Préchauffer le four à 180 °C (350 °F). Étendre la moitié du sel marin dans un plat à rôtir. Il doit y avoir une épaisseur de 7,5 à 10 cm (3 à 4 po) de sel au fond du plat. Rincer l'intérieur et l'extérieur des poissons à l'eau courante et bien les essuyer avec du papier essuie-tout. Déposer les vivaneaux sur le lit de sel. Répartir les quartiers de citron vert également à l'intérieur des poissons. Recouvrir les poissons du reste du sel.

• Mettre les poissons au four et cuire pendant environ 50 min jusqu'à ce que la chair soit opaque et qu'elle se défasse en flocons quand on la pique avec la pointe d'un couteau (mais il faut gratter le sel au milieu du poisson avant de le piquer).

• Pendant que les poissons cuisent, faire la Sauce au tamarin et au piment: dans un petit bol, couvrir la pulpe de tamarin d'eau bouillante et laisser reposer 4 min. Verser dans un tamis et presser les éléments solides avec le dos d'une cuillère pour extraire le plus de saveur possible. Jeter les éléments solides. Ajouter le sucre et la sauce de poisson au jus de tamarin et bien mélanger.

• Juste avant que les poissons soient cuits, mettre dans un grand bol (pour éviter d'abîmer les feuilles de fines herbes fraîches) les feuilles de coriandre et les feuilles de menthe, le piment rouge et les oignons frits. Bien mélanger.

• Retirer les poissons du four, gratter la couche de sel sur le dessus, puis déposer les vivaneaux dans un plat de service chaud. Enlever la peau sur le dessus de chaque poisson. Verser la moitié de la Sauce au tamarin et au piment sur les poissons, parsemer de la moitié du mélange de coriandre et de feuilles de menthe et servir. Quand les filets qui sont sur le dessus ont été retirés, enlever la colonne vertébrale, puis ôter la peau des filets qui sont au fond du plat. Verser le reste de la sauce sur les filets qui sont au fond du plat, parsemer du reste du mélange de coriandre et de menthe et servir.

INGRÉDIENTS

• 3 kg (11 tasses) de sel marin
• 2 vivaneaux entiers d'environ 1,5 kg (3 lb) chacun, parés
• 3 citrons verts coupés en quartiers
• 30 g (1 tasse) de feuilles de coriandre fraîche
• 30 g (1 tasse) de feuilles de menthe fraîche
• 1 long piment rouge, frais
• 30 g (¼ tasse) d'oignons frits (voir note)

SAUCE AU TAMARIN ET AU PIMENT
• 150 g (½ tasse) de pulpe de tamarin (voir note)
• 125 ml (½ tasse) d'eau bouillante
• 2 c. à soupe de sucre
• 1 c. à café (1 c. à thé) de sauce de poisson (voir note p. 17)

NOTES : La pulpe de tamarin, qui est de couleur rouge-brun, provient des gousses d'un arbre tropical. Vous pouvez vous en procurer dans les épiceries asiatiques.

Les oignons frits, qui sont généralement utilisés pour garnir les plats asiatiques, sont des oignons jaunes en tranches fines qui sont frits jusqu'à ce qu'ils soient bien dorés et croustillants. Ils sont vendus dans les épiceries asiatiques. S'il vous est impossible d'en trouver, allez au supermarché et procurez-vous des oignons frits qui sont utilisés pour les salades.

LES LÉGUMES

Aubergines rôties aux tomates et à l'ail

6 portions

- Préchauffer le four à 180 °C (350 °F). À l'aide d'un couteau tranchant, tailler les 2 extrémités de chaque aubergine, puis les couper en diagonale, en tranches de 0,6 cm (¼ po) d'épaisseur.

- Passer les tomates au mélangeur jusqu'à ce qu'elles aient une consistance onctueuse. Ajouter le sucre aux tomates pour contrebalancer leur acidité, puis saler et poivrer.

- Dans un plat allant au four peu profond de 2 litres (8 tasses), disposer des couches de tranches d'aubergine en les faisant se chevaucher légèrement. Parsemer de tranches d'ail, saler, poivrer et verser 2 c. à soupe d'huile d'olive. Mettre de la purée de tomate sur les aubergines. Continuer à faire des couches jusqu'à ce qu'il ne reste plus d'aubergine et finir par une couche de purée de tomate. Faire ainsi 6 couches. Couvrir le plat de papier d'aluminium.

- Déposer l'aubergine au four et cuire pendant environ 1 h 30 min jusqu'à ce qu'elle soit tendre quand on la pique avec la pointe d'un couteau. Retirer le papier d'aluminium et poursuivre la cuisson pendant environ 30 min de plus jusqu'à ce que les tomates aient la consistance d'une sauce épaisse. Retirer l'aubergine du four, la laisser reposer 10 min, puis la couper en carrés et servir.

- 2 aubergines d'environ 625 g (1 ¼ lb) chacune
- 400 g (13 oz) de tomates entières en conserve, avec le jus
- Une pincée de sucre en poudre
- Sel et poivre noir fraîchement moulu
- 4 gousses d'ail en fines tranches
- 180 ml (¾ tasse) d'huile d'olive

- 1 morceau de courge kabocha ou de citrouille épépinée d'environ 500 g (1 lb) (voir note)
- 1 patate douce moyenne, pelée et coupée en morceaux de 2 cm (¾ po)
- 12 petits navets parés et pelés
- 12 petites betteraves parées
- 2 panais moyens, pelés et coupés en 4 dans le sens de la longueur
- 6 oignons verts ou oignons nouveaux entiers, pelés
- 60 ml (¼ tasse) d'huile d'olive
- Sel et poivre noir fraîchement moulu

• Préchauffer le four à 180 °C (350 °F). À l'aide d'un couteau tranchant, couper la courge en croissants de 2 cm (¾ po) d'épaisseur. Dans un plat à rôtir assez grand pour contenir tous les légumes en une seule couche, mettre la courge, la patate douce, les navets, les betteraves, les panais et les petits oignons. Y verser l'huile, saler, poivrer, bien mélanger, puis disposer de nouveau les légumes en une seule couche.

• Mettre les légumes au four et cuire pendant environ 1 h jusqu'à ce qu'ils soient bien dorés et tendres quand on les pique avec la pointe d'un couteau. Retirer les légumes du four, puis les garder au chaud, mais laisser refroidir les betteraves suffisamment pour pouvoir les manipuler. Peler ensuite les betteraves, puis les remettre avec les autres légumes et servir immédiatement.

NOTE : La courge kabocha, que l'on appelle aussi citrouille japonaise, ressemble vraiment à une petite citrouille. Mais quand elle est cuite, sa peau verte et tachetée devient suffisamment tendre pour être mangée avec la chair orange.

Légumes du printemps

PRÉPARATION

• Préchauffer le four à 180 °C (350 °F). Sur une tôle à biscuits munie d'un bord (une tôle suffisamment grande pour recevoir tous les légumes en une seule couche), mettre les oignons, l'ail, les courgettes et le fenouil. Y verser l'huile, saler, poivrer, bien mélanger, puis disposer les légumes encore une fois en une seule couche.

• Mettre les légumes au four et cuire pendant 20 min. Ajouter les asperges au contenu de la tôle à biscuits, remettre au four et continuer à cuire pendant environ 20 min de plus jusqu'à ce que tous les légumes soient bien dorés et tendres quand on les pique avec la pointe d'un couteau. Servir immédiatement.

NOTE : S'il vous est impossible de trouver des asperges violettes, utilisez 32 asperges vertes, au total.

- 2 oignons rouges, coupés en 6 quartiers chacun
- 6 gousses d'ail entières, pelées
- 4 petites courgettes parées et coupées en 2 dans le sens de la longueur
- 3 petits bulbes de fenouil parés et coupés en 2 dans le sens de la longueur ou 1 gros bulbe coupé en 2 dans le sens de la longueur, puis en tranches de 1,2 cm (½ po) d'épaisseur
- 60 ml (¼ tasse) d'huile d'olive
- Sel et poivre noir fraîchement moulu
- 16 minces tiges d'asperges vertes, parées
- 8 minces tiges d'asperges violettes, parées (voir note)

Pommes de terre au paprika

- 150 g (1 tasse) de farine tout usage
- 1 c. à café (1 c. à thé) de paprika
- 10 pommes de terre à cuire, qui n'ont pas plus de 10 cm (4 po) de longueur, pelées et coupées en 2, en diagonale
- 3 c. à soupe de graisse d'oie fondue ou d'huile d'olive
- Sel et poivre noir fraîchement moulu

• Préchauffer le four à 180 °C (350 °F). Dans un grand bol, mélanger la farine et le paprika. Ajouter quelques pommes de terre à la fois, brasser pour bien les enduire de farine, puis enlever l'excès de farine. Répéter l'opération pour toutes les pommes de terre.

• Mettre la graisse d'oie ou l'huile dans un plat à rôtir, puis placer au four pendant environ 5 min jusqu'à ce que ce soit très chaud. Disposer les pommes de terre en une seule couche dans le plat, puis saler et poivrer. Cuire les pommes de terre pendant environ 1 h 10 min, en les retournant de temps en temps jusqu'à ce qu'elles soient croustillantes, bien dorées et tendres quand on les pique avec un couteau. Servir immédiatement.

Pommes de terre au romarin et à l'huile d'olive

- Environ 18 petites pommes de terre, des pommes de terre nouvelles de préférence, de 2,5 à 5 cm (1 à 2 po) de diamètre
- 2 c. à soupe d'huile d'olive
- 2 c. à café (2 c. à thé) de sel de mer
- Poivre noir fraîchement moulu
- Les feuilles de 2 brins de romarin

• Préchauffer le four à 190 °C (375 °F). Déposer les pommes de terre en une seule couche dans un plat à rôtir. Verser l'huile, saler, poivrer et ajouter le romarin. Bien mélanger, puis disposer les pommes de terre encore une fois en une seule couche.

• Mettre les pommes de terre au four et cuire pendant environ 40 min jusqu'à ce qu'elles soient bien dorées et tendres quand on les pique avec la pointe d'un couteau. Servir immédiatement.

Pommes de terre Anna

10 portions

PRÉPARATION

• Préchauffer le four à 200 °C (400 °F). Couvrir 2 tôles à biscuits munies d'un bord de papier parchemin. Remplir un grand bol d'eau froide. Peler les pommes de terre et les couper en tranches fines, en diagonale, puis déposer immédiatement les tranches dans l'eau. Quand toutes les pommes de terre sont coupées, les égoutter et bien les assécher avec du papier essuie-tout. Rincer le bol et l'assécher, puis y remettre les pommes de terre. Y verser le beurre, saler, poivrer et bien mélanger.

• Répartir les tranches de pommes de terre en 10 portions égales. Dresser chaque portion en une pile ronde de 10 cm (4 po) de diamètre sur les tôles à biscuits. Répartir l'huile également sur les pommes de terre.

• Cuire les pommes de terre au four pendant environ 40 min jusqu'à ce qu'elles soient bien dorées et tendres quand on les pique avec la pointe d'un couteau. Servir immédiatement.

INGRÉDIENTS

- Environ 24 pommes de terre ovales moyennes, à chair jaune et ferme
- 4 c. à soupe de beurre fondu
- Sel de mer et poivre noir fraîchement moulu
- 2 c. à soupe d'huile d'olive

Radicchios et endives enveloppés de prosciutto

4 portions

- 4 radicchios coupés en 2 dans le sens de la longueur (voir note)
- 4 endives coupées en 2 dans le sens de la longueur
- 16 fines tranches de prosciutto
- 2 c. à soupe d'huile d'olive
- Sel et poivre noir fraîchement moulu
- 1 c. à soupe de vinaigre balsamique

- Préchauffer le four à 180 °C (350 °F). Envelopper chaque demi-radicchio et demi-endive d'une tranche de prosciutto et fixer le tout avec un cure-dent. Les déposer dans un plat à rôtir, en une seule couche. Y répartir l'huile d'olive également, puis saler et poivrer.

- Mettre le plat au four et cuire pendant environ 30 min jusqu'à ce que les endives soient tendres, quand on les pique avec la pointe d'un couteau, et que le prosciutto soit croustillant.

- Retirer du feu, verser le vinaigre balsamique sur les radicchios et les endives, puis servir immédiatement.

NOTE : Dans cette recette, vous pouvez utiliser le radicchio rond de Vérone, en Italie, ou la trévise allongée.

LES DESSERTS AUX FRUITS

Pommes farcies aux figues et aux noix

6 portions

• Préchauffer le four à 180 °C (350 °F). Dans une petite casserole, chauffer le brandy à feu doux. Mettre les figues dans un petit bol, y verser le brandy et les laisser gonfler pendant 10 min.

• Ajouter aux figues le beurre, la cassonade, les noix et la cannelle. Bien mélanger.

• Mettre une quantité égale du mélange de figues au centre de chacune des pommes. Placer les pommes à la verticale dans un plat à rôtir.

• Mettre les pommes au four et cuire pendant environ 30 min jusqu'à ce qu'elles soient tendres quand on les pique avec la pointe d'un couteau. Les retirer du four et les servir chaudes ou à température de la pièce avec de la Crème anglaise.

- 60 ml (¼ tasse) de brandy
- 150 g (¾ tasse) de figues séchées, grossièrement hachées
- 4 c. à soupe de beurre non salé, à température de la pièce, coupé en petits morceaux
- 60 g (¼ tasse) de cassonade bien tassée
- 60 g (½ tasse) de noix de Grenoble grossièrement hachées
- 1 c. à café (1 c. à thé) de cannelle moulue
- 6 pommes vertes, évidées
- Crème anglaise (voir p. 29)

Pêches et nectarines garnies de biscuits amaretti

4 portions

- 6 pêches coupées en 2 et dénoyautées
- 6 nectarines coupées en 2 et dénoyautées
- 150 g (env. 1 ½ tasse) de biscuits amaretti grossièrement écrasés
- 4 c. à soupe de beurre à température de la pièce, coupé en morceaux de 1,2 cm (½ po)
- 2 c. à soupe de sucre en poudre
- 2 c. à soupe de farine tout usage

• Préchauffer le four à 180 °C (350 °F). Déposer les pêches et les nectarines, le côté coupé vers le haut, dans un plat à rôtir, en une seule couche. Dans un bol, mettre les biscuits amaretti, le beurre, le sucre et la farine. Mélanger grossièrement avec les doigts. Répartir également le mélange précédent sur le côté coupé des fruits.

• Mettre le plat au four et cuire pendant environ 15 min jusqu'à ce que les fruits soient tendres quand on les pique avec la pointe d'un couteau et que le dessus soit bien doré. Retirer du four et servir chaud ou à température de la pièce.

Rhubarbe et fraises à l'eau de rose

4 portions

- Préchauffer le four à 180 °C (350 °F). Déposer la rhubarbe en une seule couche dans un plat à rôtir. Parsemer de sucre, puis verser l'eau de rose et la vanille. Bien mélanger. Disposer de nouveau en une seule couche.

- Mettre la rhubarbe au four et cuire pendant environ 20 min jusqu'à ce qu'elle soit tendre quand on la pique avec la pointe d'un couteau. Ajouter les fraises et poursuivre la cuisson environ 5 min de plus jusqu'à ce qu'elles soient tendres.

- Ce dessert peut être servi chaud ou à température de la pièce. Répartir les fruits également dans des petites coupes. Ajouter une cuillerée de crème glacée dans chaque coupe. Verser le jus du plat de cuisson sur les fruits et servir.

- Environ 14 tiges de rhubarbe parées et coupées en bâtonnets de 5 cm (2 po) de longueur
- 90 g (⅓ tasse) de sucre en poudre
- 2 c. à café (2 c. à thé) d'eau de rose
- ½ c. à café (½ c. à thé) d'extrait de vanille
- 250 g (1 ½ tasse) de fraises équeutées, coupées en 2
- Crème glacée à la vanille pour servir

Petits fruits servis sur brioche grillée

4 portions

- Préchauffer le four à 180 °C (350 °F). Dans un grand plat allant au four, mettre tous les petits fruits, puis les saupoudrer de sucre. Mettre au four et cuire pendant environ 10 min jusqu'à ce qu'ils soient tendres.

- Déposer une tranche de brioche chaude sur chacune des assiettes à dessert. Répartir également les fruits sur les tranches de brioche. Couronner chaque assiette du quart de la crème et servir immédiatement.

- 250 g (1 ½ tasse) de fraises équeutées, coupées en 2
- 150 g (1 tasse) de mûres
- 150 g (1 tasse) de bleuets
- 250 g (1 ¾ tasse) de framboises
- 2 c. à soupe de sucre en poudre
- 4 tranches de brioche grillées, conservées au chaud
- 250 ml (1 tasse) de crème 35 %

Rhubarbe et fraises à l'eau de rose

Petits fruits servis sur brioche grillée

INGRÉDIENTS

- 3 c. à soupe de beurre non salé
- 4 c. à soupe de miel
- 4 feuilles de pâte filo
- 60 g (½ tasse) de pistaches grossièrement hachées
- 12 figues fraîches, dont on a retiré les queues, coupées en 2 dans le sens de la longueur

PRÉPARATION

- Mettre l'une des grilles du four dans le bas du four, environ au tiers, et l'autre grille dans le haut, environ au tiers aussi. Préchauffer le four à 180 °C (350 °F).

- Dans une petite casserole, mettre le beurre et 3 c. à soupe de miel. Chauffer, à feu moyen, en brassant de temps en temps, jusqu'à ce que le beurre fonde et que le mélange soit onctueux et liquide. Retirer du feu et laisser refroidir complètement.

- Couvrir 2 tôles à biscuits munies d'un bord de papier parchemin. Étendre une feuille de pâte filo sur une planche à découper propre. Couvrir le reste des feuilles d'un papier essuie-tout légèrement humide pour ne pas qu'elles sèchent. Badigeonner la feuille de pâte filo d'un peu du mélange beurre et miel, puis y mettre le quart des pistaches. Couvrir d'une autre feuille de pâte filo, badigeonner encore d'un peu du mélange beurre et miel, puis y mettre le tiers du reste des pistaches. Répéter l'opération pour les 2 autres feuilles de pâte, le mélange de beurre et de miel et les pistaches en les empilant sur les 2 premières feuilles de pâte. À l'aide d'un couteau tranchant, couper la pâte en 2 dans le sens de la longueur, puis couper en 2 encore une fois, dans l'autre sens, pour obtenir 4 rectangles. Couper chaque rectangle en 2, en diagonale, pour avoir 2 triangles. Déposer 4 triangles sur chacune des tôles à biscuits.

- Mettre une tôle à biscuits sur chacune des grilles du four et cuire pendant environ 5 min jusqu'à ce que la pâte soit bien dorée. Retirer du four et laisser refroidir complètement. Garder la température du four à 180 °C (350 °F).

- Quand les pâtisseries sont presque froides, déposer les figues, le côté coupé vers le haut, sur une tôle à biscuits munie d'un bord. Y verser le reste du miel. Mettre les figues au four, sur la grille du bas, et cuire pendant environ 10 min jusqu'à ce qu'elles soient tendres quand on les pique avec la pointe d'un couteau. Retirer du four.

- Répartir les triangles de pâte froids dans des assiettes à dessert, déposer les figues chaudes à côté et servir.

Index

Achevé d'imprimer au Canada
sur les presses de Quebecor World